나는 오늘도 산에 간다

글·사진 김순영

나는 오늘도 산에 간다

발　행 | 2024년 1월 2일

저　자 | 김순영

펴낸이 | 한건희

펴낸곳 | 주식회사 부크크

출판사등록 | 2014.07.15(제2014-16호)

주　소 | 서울특별시 금천구 가산디지털1로 119 SK트윈타워 A동 305호

전　화 | 1670-8316

이메일 | info@bookk.co.kr

ISBN | 979-11-410-6347-4

www.bookk.co.kr

<접시껄껄이그물버섯>

차례

시작하며

61년을 살아온 인생.
내 인생 3분의 1 사계절 한결같이 산으로 돌아치며
때론 야생화들과 약초들 버섯들을 간섭하며 살아왔다 해도
과언이 아닐 정도로 산을 참 좋아했다.
그리하여 늘 건강함에 있어 자신하던 내게 오전 산행을
마치고 잠이 든 새벽녘에 복통을 호소하며 동네병원
응급실을 거쳐 대학병원에 입원하여 만성골수성백혈병이라는
병명을 얻었다.
엎친 데 덮친 격이라고 완치라는 말이 없다는 의사선생님
말씀에 처참히 무너져 19일간의 병원생활을 끝내고 집으로
돌아와 더 이상 좌절할 수 없어 마음을 다잡고 다시 산으로
가기 위해 체력을 보충하여 한 달여 만에 산에 들어서며
1년간의 살아낸 쓰디쓴 투병기를 때론 집으로부터 생활
이야기를 사계절을 담은 산행기를 써 내려간 글들을
작은 한 권의 책으로 옮겨 볼까 합니다.

-2023.07.21.-

김순영 입원하다

금요일 새벽녘 복통이 일어나 동네 종합병원 응급실로
실려갔다. 새벽 2시였다.
채혈 검사, 코로나 검사, 엑스레이 검사 마치고
위장이 너무 아파 수액을 맞고 있다가 시간이 지나 의사
선생님께서 입원해야 한다기에 그러기로 하고 아침 7시가
되어서야 병실로 올라가 환자복으로 갈아입고 있으니
8시에 응급실로 다시 내려오라고 한다.

아무래도 혈액에 문제가 있는 것 같은데 동네병원에서
치료할 병이 아닌 것 같다며 큰 병원 몇 군데 말씀하시기에
큰 병은 아니겠지 얕은 생각으로 집에서 가까운 대학병원을
택하여 가기로 하고 서둘러 수납하고 동네병원에서 나와
대학병원으로 이동하여 동네병원에서 가지고 간 CD와
추천서를 보여주고 진찰받고 입원 승인받고 코로나 검사하고
음성이 나와야 병실로 올라간다기에 병원 한적한 곳을 찾아
몇 시간을 의자에 몸을 기대고 오후 6시가 되어서야
음성 판정받고 병실로 올라갔다.

- 2022.07.16. 병원에서-

만성골수성백혈병 진단을 받다.

22년 7월 17일부터 입원 중에 채혈 검사, 골수 검사,
위내시경, 심전도 검사, 영상의학 검사 등 마치고
22년 7월 21일까지 일주일이 지났다.
모든 결과가 나왔다고 입원 중에 담당 의사가 병명을 들어야
하는 가족과 연락하여 진료실로 내려오라는 부름에 가족을
부르라 하니 어찌 된 건지...
잠시 멈칫하며 큰 병이라도 났나... 시한부인가...
그래 어떤 소리를 들어도 담대하게 받아들이자.
마음을 다지며 옆지기와 가까이 사는 둘째 딸아이를 불러
교수님 방을 노크했다.
'만성골수성백혈병' 또는 '혈액암'이라 설명하시며
살아가다 무슨 일이 생길지 모른다는 불치병 진단을 듣던
순간 나를 향해 괜찮아... 괜찮다...
어린아이도 사고로 병으로 세상을 떠나는데 난 61년을
살아왔으니 괜찮다.
서럽지도 억울하지도 않다. 눈물도 나질 않았다.
그저 세상을 떠날 때가 되면 크게 고통받지 않기를 바라보며
나부터 마음을 다잡고 가족들에게 웃어 보이며 난 괜찮다고
말할 수 있었다.
그렇게 이리저리 설명을 듣고 진료실에서 나온 옆지기, 나,
둘째 딸아이는 서로에 무슨 말을 해야 할지 멘붕 상태라
말을 더 이상 못하고 옆지기와 딸내미는 집으로 돌아가고

병실로 돌아온 나는 서글픔보단 자꾸만 헛웃음이 나왔다.
2021년 12월 30일 건강검진할 때도 별 이상 없었는데
7개월이 지난 지금 내 몸뚱이 안에서 무슨 일이 일어난
건지...

오래 살기 위함이 아닌 건강하게 살고자 늘 좋은 물,
건강한 음식, 좀 과한 운동으로 지금껏 살았는데...
병실에 누워 때맞추어 오는 식사도 달갑지 않고 아무리
생각을 해봐도 어디서부터 였는지... 보이지 않는 혈액에서
생긴 일이라 어찌하지 못해 의사 처방에 따라 22년 7월
21일 저녁 식후 항암제 3알 줘서 복용하고 내일부터
아침 식후 3알, 점심 식후 2알, 저녁 식후 3알을 줄 테니
먹으란다. 나 자신한테 화가 치밀었지만 병원에서 약을
거부할 수 없어 빈속에 항암약을 주는 대로 복용했다.

-2022.07.21. 병실에서-

이틀을 음식을 먹지 않고 항암제만 복용했더니 위장도
반기를 들어 울렁울렁 고통스러워 일단 뒤로 물러서서
한 끼에 밥 한 숟가락 입에 떠 넣고 항암제 복용한지 며칠이
지났다.
매일 아침 담당의 선생님이 병실에 오셔서 얼굴이 붓지 않은
것이 몸에 별 이상 신호가 없는 것을 보며 참 다행이라 하며
하루하루 야윈 모습을 보며 잘 먹으라 한다.

병을 고치려고도 살려고 노력하기도 싫었다.
이 거지 같은 상황을 벗어나 산에만 가고 싶었다.
내가 머물고 있는 5인실 병실엔 하루 또는 이틀 간격으로
암 수술한 분들이 항암 수액을 맞고 입·퇴원하며 매일
부산스러운데 나는 할 일 없이 밥 한 숟가락과 항암제만
복용했다.

코로나 바이러스를 뚫고 하루에 몇 차례 찾아온 옆지기는
하루하루 야윈 모습을 본 내게 무엇이든 먹여 보려고
평소 좋아하던 음식 팥칼국수랑 호박죽을 사다 놓고 간다.
할 일이 없으니 생각도 많아져 지난 백혈병이 발병되기 2주
전부터 곰곰이 생각해 보니 한 끼에 밥 한 숟가락 이상
넘길 수가 없어 여름이라 입맛이 없어서 그런 줄만 알았다.
그리 못 먹어도 살은 빠지지 않아 나름 몸뚱이가 독한가
하고 생각만 했다.

오후가 되면 피곤이 몰려와 틈만 나면 누워 여름이라 더워서
나이를 먹어서 갱년기라서 그런가 보다 했다.
지금껏 살면서 코피 한번 나지 않았는데 지난 꽃송이버섯
산행 중에 코피를 두 차례나 손수건이 흠뻑 젖을 정도로
쏟아 낼 때 쉬지 않고 꽃송이버섯이 나오는 산을 찾아
싸돌아댕겨서 과로했나 보다 생각했다.

어느 날 다리 곳곳이 멍이 들어 있는 것을 보며 버섯 산행은
오르락내리락 거친 산행을 하기에 나도 모르게 나무들에
부딪히는 일들이 다반사라서 멍이 생겼나 보다 생각했다.

몸이 음식을 못 받으면 몸에 이상 신호가 왔다는 것을
그땐 모르고 지나친 것이 만성골수성백혈병 또는
혈액암이라는 병명을 혹독하게 달고 나서야 알았다.
이제서야 알았다 해도 내가 무엇을 해야 하는지 모르겠다.
무엇이든 영원한 건 없으니 내 생명이 여기까지 라면
받아들일 수밖에 나로부터 우리 집에 암이라는 가족력의
꼬리표를 최초로 달고 딸아이들이 건강에 관해서 가족력을
떠올려야 하기에 마음이 아프다.

-2022.07.24. 병실에서-

<색동호박-관상용>

김순영 퇴원한다

19 일간 검사, 링거, 약물 투약하다 내일 퇴원하라 한다.
만성골수성백혈병이라는 진단명에 굴복하고 710 호 병실에
18 일간 입원하여 퇴원을 하루 앞둔 여름날의 아침.
장대비 쏟아지는 창문 밖을 바라보며 앞으론 어찌 살까.
어찌 살아가야 할까 무엇부터 정리할까 깊은 생각에 잠긴다.

나 태어나 어찌어찌 여기까지 살아낸 61 세의 인생.
서글프지도 그렇다고 아쉽지는 않지만 불치병이라는
병명 앞에 육신도 정신도 창문 밖 유리창에 찰싹 달라붙다
미끄러져 곤두박질치는 물벌레들처럼 막막하다.

-2022.08.03. 아침에...-

병원 외래 1회차

19 일간의 입원 생활을 청산하고 집에 돌아와 4 일이 지난
오늘 채혈 검사, 엑스레이, 심전도 검사 마치고 2 시간 이상
기다리다 외래진료를 받았다.

담당 교수님께서 아직은 큰 변화도 이상도 일어나지
않았지만 앞으로 5 주간 더 관찰하면서 지켜보자는
말씀 듣고 옆지기와 딸과 함께 병원에서 나와 딸은
자기 집으로 향했고 옆지기와 난 집을 향해 가는데 자동차
창문 밖 세상은 나와 상관이 없는 것 같이 낯설다.

-2022.08.08. 외래 1 차를 마치며-

병원 외래 2회차

백화점에서 둘째 딸내미를 오전 11시 30분에 만나
점심 먹고 병원에 함께 가기로 하고 집에서 옆지기와 시간
맞춰 백화점 향해 가는데 여수에 사는 큰오빠한테 전화가
왔다.
아프다는 말에 먼 길을 마다하지 않고 경기도 집 부근에
왔다 한다.
우리는 이미 집을 떠나 둘째 딸 만나 점심밥 먹고 병원에
가야 하기에 큰오빠랑 통화 끝에 차를 돌려 30분 걸리는
근처 백화점으로 오시라 하여 만나서 함께 식사하고 병원에
몇 시간 있어야 해서 큰오빠랑 그만 헤어져야 했다.

오늘은 외래 진료 2회차 일반 사람보다 두 배나 많았던
혈소판이라는 녀석들이 정상을 향해 떨어진다고
아침저녁으로 항암제 3알씩 먹었던 것을 아침에만 3알
먹으라 하신다.
악성 백혈구라는 녀석들도 조금 주춤한 상태지만 4주간
오르내리므로 더 지켜봐야 한다는 담당 교수님의 말씀에
귀 기울이며 항암제에 내성도 없고 눈두덩이 조금 부은 것
말고 다른 부작용이 없어 다행이라 하시며 빈혈 수치가
떨어져 철분 주사 한 대 맞고 가라 하시어 맞았다.

가끔 열이 37.2도 올라 긴장시키는데 열이 37.5도 이상
한 시간 지속되면 병원으로 오라는 말씀 새겨듣고
딸은 집으로 데려다주고 옆지기와 나는 집으로 돌아오는
길에 새벽녘에 잠시 꿈을 꾸었던 것을 회상해 본다.

꿈에 친정집에 갔는데 친정 엄마께서는 부엌에 앉아 콩 삶은
솥에 불을 지피고 계셨고 부엌 맞은편 비닐하우스에 멍석
깔린 바닥으로 네모난 메주가 어림잡아 30덩이 이상
가지런히 줄지어 눕혀 말리려고 널어 놓으셨길래
무슨 메주를 이리 많이 만드셨냐고 물었더니 앞으로도
콩을 더 삶고 메주를 더 만들어야 맞출 수가 있다며
배고프니 일단 밥부터 먹자고 하여 엄마랑 밥을 먹으려고
밥상을 차리다가 꿈에서 깼다.

집으로 가는 차 안에서 인터넷에 접속해 꿈해몽을 찾아보니
메주 꿈은 길몽이라 하여 가벼운 마음으로 집으로 돌아왔다.
현재 친정 엄마께서는 91세 나이로 거동도 불편하시고
치매로 목포 요양 병원에 계신다.

-2022.08.16. 외래 2회차 날에-

백혈병 투병 32 일째

아무 일도 일어나지 않은 것처럼 입·퇴원하여 집에서도 같은
생활하면서 순서를 정해 하나씩 정리하며 지낸 32 일째.
어제는 처진 몸을 이끌고 좀 무리해서 동네산을 다녀왔다.
지난 7 월 새벽녘에 다발성 통증으로 갑자기 응급실에
행차하여 집에 돌아오기까지 19 일이 걸렸기에 또다시
응급실에 실려 가거나 갑자기 산과 가족들과 세상과 이별할
수도 있다는 생각에 산과 정리해야 할 것이 있어 올라갔다.

어느 산이든 산 초입에 들어서서 짧은 시간 또는 긴 몇 시간
동안은 오로지 나만의 숲에 세상에서 오르내리며 살아왔고
하산 길 끝자락에선 사람 사는 세상을 향해 내려가 사람들과
부딪치며 하루에 두 세상을 번갈아 가며 살아온 세월 산은
나의 전부였다.
홀로 산에 다니면서 가슴에 묻고 살아야 했던 화병(火病)도
치유하고 때론 좋은 일들 어려운 일들이 생길 때면
대답 없는 나무들에 중얼중얼 말을 걸으며 마음을 비우기도
마음을 채우기도 하며 다시 힘을 내 더 살아가 보자
다짐하게 하던 산은 나의 외로움을 극복하고 내일을
살아가게 이끄는 원동력이었다.
일 년 사계절 산을 오르며 나무들의 삶도 지켜보고 내 삶도
들려주며 모든 영원한 것은 없고 언젠간 나도 세상을 떠날
것이기에 세상 떠나기 며칠 전이라도 산을 한 바퀴 돌아치며

작별의 인사를 하고 세상과 이별하는 것이 소원이라 산에
오를 때마다 늘 중얼거렸는데 19일간 병상에 누워있어 보니
산에 가는 날 이별의 말들을 늘 해야 하는 것을 큰일을
겪으므로 깨달았다.

그리하여 산과 나무들에 짧은 인사를 하며 두 개의 능선을
넘어 뱀바위 구간 나무 의자에 도착하여 앉아 생명을 다하여
잎사귀 하나 없이 앙상하게 서 있는 고사된 나무 한 그루에
한껏 웃어 보이며 너는 영원한 쉼에 들어갔구나.
나도 언제가 될지 모르지만 나도 쉼에 들어가겠지.
땀이 식기까지 의자에 앉아 두 팔 벌려 크게 날숨 들숨하고
있으니 동네산 몇몇 지인들이 차례로 올라온다.
어떤 이는 내게 약초라 부르고 어떤 이는 내게 버섯 박사라
부른다.

오랜만에 산행길에서 만나 안부를 묻고 웃어 보이니 야윈
내 모습을 보며 내가 아팠을 거라는 생각을 하나도 안 하며
다이어트를 했냐며 지인이 묻는다.
"네, 다이어트라는 것을 저도 해봤어요"
내가 생각해도 우습다.
아니 지나가는 멧돼지도 웃을 일이다.
나름 건강하게 살아오지 않았나 한바탕 웃어 보이며
지인들을 뒤로한 채 다시 산행길을 재촉한다.

앞으로 내가 얼마나 산에 올지 살아가다 어찌 될지
모르겠지만 산에 오는 날이 마지막인 것처럼 산과 나무에게
똑같은 인사를 하자.

산아! 나무들아!
너희들 덕분에 내 삶이 지루하지 않았고 즐거웠다.
힘이 부족하여 가다 서다 정상은 못 가고 동네산 7 부쯤
되는 삼거리에서 발길을 돌려 쉬엄쉬엄 4 시간 30 분 걸려
집에 왔다.

-2022.08.22. 동네산 다녀와서-

병원 외래 3 회차

병원 외래 3 회차 다녀왔다.
채혈 검사하고 담당 교수님 진료를 보았다.
혈소판은 정상에 가깝게 내려왔고 빈혈도 정상에 도달했다
하신다.
악성 백혈구는 오르내릴 수도 있는데 현재 제자리 머물러
있지만 그리 나쁘진 않다며 더 두고 보자고 하시면서
진료는 끝이 났다.
다음 예약 진료는 8 월 31 일이다.

-2022.08.23. 병원 다녀온 날에-

\<노랑망태버섯\>

투병 39일째 산에 가다

이른 아침에 일어나 동네산에 가볼 생각에 부지런 떨며
운동 매트 위에서 근력운동도 하고 식탁 위에서 아침을
든든히 챙겨 먹고 충분히 휴식도 하고 힘을 모아 동네산에
올랐다.
능선길 나무들에 나왔다 웃어 보이며 처서가 지나면 이른
버섯 녀석들은 하나 둘 또는 옹기종기 모여 보이기도 하여
겹겹이 쌓인 낙엽 위와 나무 위를 열심히 탐색하는데 도통
버섯 녀석들이 보이질 않아 조금 이른 감이 있어 더
기다려야 하나 보다.
산 정상은 못 가고 삼거리에서 마음을 접고 하산길로
접어들다 지난해 8월 말쯤 여름 느타리 녀석들 몇 다발
따던 일이 스쳐 발걸음을 옮겨 참나무 녀석이 있는 곳을
향해 찾아가니 똘망똘망 어여쁜 느타리 녀석들이 고사된
참나무에 다발로 붙어 나를 반긴다.
세상을 다 가진 것처럼 반가웠다.
버섯들이 나오는 철엔 이런 즐거움에 녀석들을 찾아다닌다.
참 이쁘구나! 참으로 이쁘다!
3일쯤 지나 딴다면 한껏 더 클 텐데...
여름 느타리는 며칠 더 크라고 놓아두면 벌레들이 순식간에
집을 만들어 살고 있어 집에 데려갈 수 없기에 이쯤 돼서

네 다발 따서 배낭에 담아 집에 가자 재촉하며 하산하다
동갑내기 산친구를 만나 두 다발 덜어주니 벌써 느타리
버섯이 나왔냐며 놀라기에 여름 느타리버섯이라며 올해
처음 나온 녀석이니 맛보라 했다.
산친구와 동네 분들께서는 내가 백혈병 투병 중인 것을
모른다.
병원에서 19일간 입원하고 집에서 투병 생활하느라
산에서 안 보이니 아픈 데는 없냐 묻는 산친구에게
제주 사는 큰딸 집에서 한 달 살이 하고 왔다 둘러댔다.
내가 투병 생활하고 있다는 것을 가족 외엔 누구에게도
말하고 싶지 않았다.
그냥 항상 밝고 건강하며 나눔을 좋아하는 약초라고 불리는
여자로 참 좋은 사람으로만 남고 싶다.
그렇게 산친구와 이런저런 이야기를 하다 하산 끝자락에서
다시 세상 속으로 들어서며 각자 집을 향해 가고 느타리
녀석 두 다발은 배낭 속에 담긴 상태로 집으로 데려올 수
있었다.
오늘 저녁 식탁엔 일찍이 나온 느타리 덕분에 옆지기와
행복한 저녁이 될 것이다.

-2022.08.28. 산에 다녀오던 날에-

<느타리버섯>

병원 외래 4회차

병원 외래 4회차 다녀왔다.
1. 채혈하고
2. 심혈관 검사하고
3. 엑스레이 찍고
4. 혈압 정상
5. 체중은 1kg 늘어 61kg을 찍었다.
그렇게 2시간 지나 진료실에 들어섰다.
교수님께서 하시는 말씀이 혈소판도 정상 부근에 머물러
있고 백혈구도 적혈구도 빈혈 수치도 좋아졌고
간, 신장, 폐기관들도 건강하며 혈액 속에 악성 암세포들이
잘 보이지 않는 것이 위험 단계는 넘어섰으며 무엇보다
항암제 부작용이 없어 좋은 일이라며 앞으론 우울할 필요
없이 운동도 하고 즐겁게 살라 하시며 2주 후에 보자고
하셔서 진료실에서 미소 지으며 나왔다.
백혈병이 발병하기 전이나 지금도 나는 변함없이 일상생활
하며 살고 있으며 이리 살아가다가 백혈병이 악화하여
옆지기와 딸들 가족들과 형제들과 세상과 이별한다 해도
미련도 서러워하지도 않을란다.
그냥 오늘만 생각하다 내 길을 말없이 갈 것이다.

-2022.08.31. 4회차 외래 다녀온 날에-

병원 외래 5 회차

추석이라고 손녀딸들이 제주에서 승무원의 도움을 받으며
김포공항에 도착했다고 전화가 왔다.
마중 나간 둘째 딸네 집에서 지내다가 추석날에 우리 집으로
왔다.
추석 지나고 며칠 있다 간다고 하여 머물다 병원에 내원할
날짜가 되어 함께 병원에 가기로 하고 집을 나섰다.
병원 입구에서 둘째 딸내미 만나 합류하여 채혈 검사하고
3 시간 기다리다 작은 진료실에 옆지기, 둘째 딸, 손녀 둘, 나
총 5 명이 들어갔다.
교수님 말씀이 이어진다.
이젠 혈액 속에 암세포들이 보이지 않고 건강한 세포들이
생겨나며 혈소판, 빈혈, 적혈구, 백혈구들이 정상을 향해 가는
단계이니 마음 놓고 일상생활 하라며 2 주 후 내원하여
다시 살펴보자는 교수님의 말씀 뒤로하고 홀가분한 마음으로
진료 마치고 웃으며 나왔다.

-2022.09.13.-

3일간 노루궁뎅이버섯 산행기

노루궁뎅이버섯 채취하는 시기라서 장시간 산행은
아닐지라도 짧은 시간 산행은 무난하게 돌아다닐 수 있을
만큼 건강이 좋아져서 노루궁뎅이버섯 산행을 하고자 한다.

첫째 날 새벽 5시에 일어나 배낭에 생수, 베지밀, 과일,
송편을 쪄서 담고 옆지기랑 노루궁뎅이버섯 산행에 나섰다.
지난해엔 산행지마다 대박을 터트렸는데 해가 갈수록 버섯
산행하시는 분들이 많아져서 부지런 떨며 산허리를
돌아쳐야 예쁜 궁디버섯들을 볼 수가 있어 이른 아침 서둘러
산행에 나섰다.
딸내미들이 백혈병 투병 중이라고 버섯 산행을 말려도
보지만 가을이 되면 이미 버섯들의 마수에 걸려 있기에
병석인 것이 그리 와닿지도 피곤하지도 않기에 괜찮다고
안심시키고 산행 시간을 반으로 줄이며 노루궁뎅이버섯이
제일 많이 나오는 첫 번째 산을 향해 옆지기도 따라나서기로
하고 함께 산행을 해본다.
궁디버섯 녀석들이 있을 만한 장소에 도착했는데 보이지
않아 능선 타고 오르락내리락하니 하나둘 어여쁜 녀석들이
반긴다.
순간 세상을 다 가진 것처럼 표현할 수 없을 만큼 기뻤다.
그래!! 발견하는 짜릿한 이 맛에 궁디버섯 산행하는 것이다.

<노루궁뎅이버섯>

3시간 산을 돌아다니면서 큰 녀석들은 배낭 속에 담고
작은 녀석들은 며칠 후에 보기로 하고 3킬로 정도의
궁디 버섯에 만족하며 첫째 날 버섯 산행을 마쳤다.

둘째 날에도 이른 새벽에 일어나 두 번째 산을 정해 오를
것을 머릿속에 저장하고 배낭에 간식 챙기고 옆지기와
산행이 시작되었다.
산행한 지 얼마 되지 않아 궁디 녀석들이 하나둘 반긴다.
옆지기가 한마디 한다.
"노루궁디가 보이니 그리 좋으냐"
"그럼요..." 좋다마다입니다요.
발견한 기쁨 손끝에 만져지는 느낌 아니까 많이 따고 적게
따고 많이 적게 먹고 가 아니라 그저 즐겁다.
발견한 것이 즐겁다. 보는 것이 즐겁다.

둘째 날도 3시간 산행하기로 약속하여 더 산행할 수도
있는데도 약속을 이행하며 하산길에서도 두리번거리기도
뒤돌아 처다보다가 참나무 한 그루에서 원 투 쓰리
와우!!!!!!!
세 녀석이 줄지어 붙어 날 오라 손짓하지 않은가 서둘러
참나무 아래로 가서 올려다보니 너무 높이 붙어 있네.
에휴~
이럴 땐 5미터 되는 장대를 이용하여 다 펼치니 닿는다.
옆지기는 장대를 들어 궁디들을 나무 아래 땅을 향해
하나씩 따 내리고 난 궁디들이 땅으로 곤두박질 처질까
나무 아래 서서 두 손으로 녀석들을 차례로 받아 배낭에
담아 등에 지고 3킬로 정도 무게를 느끼며 두 번째 산행
마무리했다.

첫째 날, 둘째 날 이어 세 번째 날도 궁디산행에 나섰다.
산행하는 동안 뽕나무버섯, 글쿠 버섯, 이름 모를 잡버섯들이
간간이 보이지만 다 간섭하다가는 궁디산행에 지치기도 하고
필요치 않은 버섯은 따지 않기에 잡버섯들은 뒤로하고
궁디들 있는 장소만 집중하여 돌아다녔다.
옆지기가 말을 걸어온다.
어찌 알고 궁디 있는 곳만 찾아가냐고
"어휴~ 내가요. 궁디 버섯 산행 16년이 넘었잖소"
3년 전만 해도 강원도로 경북 풍기 단양으로 송이, 능이
버섯 산행도 갔는데 언제부터인가 강원도 산들 송이, 능이
한 꼬다리만 나와도 산을 임대했다며 노란 금줄들을 온 산에
두르고 못 들어 가게 해 산 입구에서 옥신각신하기도 싫고
어느 산은 동네에서 관리한다고 노인들이 나와 지키니
능이, 송이는 먹지 않기로 마음먹고 단속과 지킴에서 멀어진
궁디들만 찾아다니지 않소하며 옆지기와 한바탕 웃으며
해마다 궁디 버섯 있는 장소를 찾아 세 번째 노루 궁디 버섯
산행에 5킬로 이상 초대박 터트리고 하산했다.
하산길에 내일 어느 산으로 궁디들을 만나러 갈까
미리 생각하기도 해보지만 오늘은 피곤이 몰려오기에
집에 가서 한숨 자고 생각해 보기로...

-2022.09.14.15.16. 3일간 궁디 산행-

병원 외래 6 회차

오늘 병원에 외래 6 회차 다녀왔다.
오전 8 시 30 분에 병원 도착하여
1. 채혈
2. 심전도
3. 엑스레이
4. 혈액으로 다음 회 유전자 검사 사인도 하고 대기실에서
긴 시간 기다리다 오전 11 시 20 분에 담당의를 만났다.
교수님께서 암세포도 3 주째 안 보이고 혈소판 수치도
적혈구, 백혈구, 빈혈도 정상 범위에 있다며 오늘 채혈한
혈액에서 유전자 검사하는데 암세포가 여전히 만들어지는지
더 이상 안 만들어지는지 2 주 후 10 월 12 일에 결과를 보고
2 주간 항암제 더 먹어 보자 하시며 진료는 끝이 났다.
아프기 전 식생활과 아픈 후에도 평소에 먹던 채소들로
식생활은 그대로 진행 중이다.
아니 잘 먹지 않던 육류를 조금씩 먹고 있다.

-2022.09.25. 김순영-

두 달 만에 산 정상에 서다

백혈병 투병 두 달 만에 동네산 정상 관음봉에 올랐다.
아파서 정상에 못 온 것이 아니라 노루궁뎅이버섯에 미쳐
정상 부근까지만 왔다 가면서 궁디산행을 끝내고
정상에 오르겠다고 다짐하며 많은 날을 보내고
자연산 노루궁뎅이버섯 산행이 끝나고 자연산 느타리버섯이
시작되는 막간의 시간을 짬내어 올랐다.

정상에선 가을바람이 오래간만에 온 나를 반기는 듯
더욱 세차게 불어 대고 마주한 백봉산도 나를 보며 힘차게
웃는다.
좁다한 산행길, 가파른 능선길도 좋지만 산 정상에 서면
더 이상 갈 수도 생각할 수도 없는 멈춤이 있어서 좋다.

-2022.10.07. 관음봉 정상에서-

<노루궁뎅이버섯>

병원 외래 7 회차

2주 만에 병원 외래 7 회차를 다녀왔다.
몇 주째 혈액에 암세포들이 보이지 않는다 하여 이번엔
어떨까...
기대 아닌 기대를 하고 병원에 도착하여 채혈하고 기다렸다.
담당 교수님께서 처음 병원에 왔을 땐 혈액에 90% 암세포가
떠다닌다고 하셨는데 항암제 복용 중 중간 채혈에선
몇 주간 안 보이기도 하여 가족들의 마음을 들었다 놨다
하던 암세포 녀석들이 이번엔 다시 30% 암세포가 떠다닌
것이 보인다며 더 꾸준히 치료에 임하자고 하신다.
교수님께서 위로의 한 말씀을 더 붙이신다.
사람 몸에 폐암 같은 암덩어리가 붙어 있다면 그 덩어리를
약으로든 항암주사든 방사선이든 더 이상 퍼지지 않게
줄이는 것이 목적인데 이놈에 나의 혈액암은 발병한 날부터
몸뚱이 전체 혈액 속에 떠다니다가 보이기도 안 보이기도
하며 항암제 글리벡으로 다스리기에 그때마다 다를 수
있다며 설명을 하신다.
난 괜찮은데 어떤 결과가 나온다 해도 다 감당할 것이다.
다만 내가 더 살아 주기를 바라는 옆지기와 자녀들 보기가
그저 미안할 뿐이다.
옆지기가 교수님께 겨울이 다가오니 면역 떨어질까 염려되어
나를 독감주사 맞게 해달라고 하여 독감 처방 내리며

약 잘 먹고 한 달 후에 내원하라는 말씀을 듣고 65 세
미만이라 4 만원 주고 독감 주사 맞고 병원 문을 나서며
둘째 딸 집에 들러 된장, 고추장, 반찬 등 주고 점심 먹고
집으로 돌아왔다.

병원에 다녀온 지 하루가 지났다.
오늘 아침은 입맛이 달아났는지 밥맛이 달아났는지
전날 왼팔에 독감 예방주사 맞은 곳에 묵직함을 느끼며
힘겹게 일어났다.
항암제 시간 맞추어 먹으려고 아침밥 한 숟가락 뜨고
오후가 지나도 음식이 먹히지 않는다.
산에도 가지 않고 누워만 있었다.
다 내려놨는데 무엇이 우울하게 하는 걸까...
생각에 잠겨 있을 때 오후가 되어서야 옆지기가 잎사귀 달린
가을무와 쪽파 한 아름 들고 왔다.
그 녀석들을 보는 순간 무는 다듬고 씻어 무생채 만들고
잎사귀는 된장국 끓여 먹을 수 있게 데치고 쪽파도 다듬고
씻어 저녁 밥상에 파전 지져 먹을 수 있게 반죽해 놓고
냉장고에 있는 꼬마 표고버섯 꺼내어 뚜껑 부분에 열십자
모양도 내어 장조림도 만들고 둘째 딸한테 폰 두들기며
문자를 남겼다.
'내일 무생채랑 표고버섯 장조림 갖다 줄게.'
폰 닫고 잊을까 봐 냉장고 야채 칸에서 내일 가지고 갈
구이용 생표고버섯과 국 끓여 먹을 무 한 개 비닐봉지에

담아 놓고 저녁밥 먹을 준비 완료하고 잠시 짬 내어
투병기를 써 내려가며 오늘도 무언가 해 낸 것 같아 웃어도
본다.
그래... 쩝 난 우울함이 어울리지 않아.
아직 시한부 아닌 내일은 무엇을 할까 생각할 수 있는
불치병인데 까짓것 나 김순영 갈 때 그때가 되면 웃으며
갈란다.

-2022.10.13. 김순영...-

<노루궁뎅이버섯>

느타리버섯 대박 산행

투병 중에도 버섯들에 이미 미쳐 있기에 한 달 간에
노루궁뎅이버섯 산행이 끝이 나고 느타리버섯 산행이
시작된 지 며칠 동네산은 아직 이른지 별 소득 없이 홀로
산행하다가 오늘은 옆지기와 느타리버섯들이 제법 나오는
옆동네 산에 오르기로 하고 생수, 과일, 떡 준비하여 각자
배낭에 담고 장비로는 장대 2개와 망태, 과도, 장대에 딸린
칼날 챙기고 자동차에 몸을 싣고 달리다 옆동네 산 초입에
도착했다.
커피 한 잔 마시고 산에 올라 능선을 오르내리며
느타리 한 덩이 두 덩이 채취하다 익숙한 골진 곳에
다다라서야 발걸음을 멈추어 참나무 녀석들을 위아래
올려다보니 한 그루 고사목이 된 참나무 위에 느타리
몇 녀석들이 높이 붙어 있는 것이 보였다.
높이 붙어있다 한들 5미터 장대가 있으니 그림의 떡은
아니다.
반가움에 가까이 가니 중간지점에도 더 가까이 가니 나무
밑동까지 느타리 대가족이 붙어 있지 않는가. 순간 멈췄다.
몸뚱어리도 가슴도 발걸음도 정신 차리고 옆지기를 불렀다.
함께 와우 탄성 지르며 한껏 웃어도 보며 그래 버섯 산행을
하다 보면 한두 덩이도 반갑고 이쁘지만 꽃처럼 한 나무를
에워싸며 붙어있는 버섯들의 마력에 이 맛에 버섯 산행에
나선다.

즐거움을 한껏 만끽하며 한 덩이 두 덩이 정성껏 채취하여
옆지기 배낭에 가득 채우고 내 배낭에도 가득 차 더 이상
무거운 배낭 메고 산행하기 무리다 싶어 내일 다시 오기로
하고 1시간 30분 만에 끝내기로 했다.
하산길에 이 많은 느타리버섯 녀석을 누구누구랑 나누어
먹을까 한동안 느타리 녀석들 대박 이야기를 하겠지.
옆지기와 앞서거니 뒤서거니 하며 무거운 배낭 가벼운
발걸음으로 차를 세워 둔 곳으로 발길을 돌렸다.
앞으로 11월 말까지 느타리버섯 녀석들을 이산 저산
돌아치며 만날 것이다.

-2022.10.15. 느타리 대박 산행 한날-

< 김순영과 느타리버섯 >

오늘도 느타리버섯 산행

오늘도 느타리버섯을 채취하기 위해 옆지기와 각자 배낭에
짐을 꾸리고 장비 점검 완료하고 동네산을 향해 집을
나섰다.
올가을날은 몹시 가물지만 언제 무얼 탓하며 산행했던가
그저 오늘도 즐겁게 산행하면 그만인 것을...
산 초입부터 곱게 물이 들어 어여쁜 참나무 단풍잎들과
연신 눈 맞춤하다 고사목이 많은 곳으로 들어선다.
습도에 밀접한 느타리버섯은 비가 적절하게 내려 주어야만
풍성한 수확을 기대하는데 너무 가물어서인지 녀석들의 때가
되었는데도 도통 나무에 붙질 않았다.
애써 나와 붙어 있는 몇 녀석들은 크지 못하고 말라간다.
지금이라도 비가 흠뻑 내려만 준다면 11월 말까지는
녀석들을 볼 수 있을 텐데...
사람이 자연을 어찌할 수는 없는 일.
능선을 따라 한참을 다녀봐도 좀처럼 실한 녀석들을 볼 수가
없어 골이 깊은 습한 곳으로 방향을 바꾸고 고사목이 된
나무 위보다 땅바닥에 곤두박질쳐진 부러진 나무들을 자세히
보라고 옆지기한테 일러 두고 산행 시작한 지 조금 지나
그럼 그렇지 멀찌감치 기다랗게 널브러진 죽은 참나무 옆에
줄지어 붙은 느타리버섯 녀석들이 보이지 않는가.

<자연산 느타리버섯>

가까이 가니 양옆으로 느타리 가족들이 어림잡아 1 킬로가량
붙어있었다.
가까이에서 탐색하던 옆지기도 합류하여 서로 웃어 보이며
느그덜 우리 집에 가자.
흐트러지지 않게 채취하여 배낭에 담고 느타리 가족을
내어준 참나무 녀석이 고맙다.
"잘 먹을게" 중얼거리며 자리를 옮겨 산행하다 2 킬로가량
더 채취하고 나서야 가뭄에 이 정도 채취할 수 있는 것도
감사하며 하산했다.

-2022.10.27. 느타리버섯 산행-

느타리버섯 산행

10 월과 11 월을 넘나들며 오늘도 느타리버섯 산행길에
올랐다.
자연산 가을 느타리버섯은 맛과 향도 좋기에 녀석들이 많이
나오는 산을 찾아 채취하는데 오늘도 대박을 점치며
산 밑에서 사부작사부작 중턱 능선까지 올라가기로 하고
옆지기와 거리를 두고 시작된 산행 얼마 되지 않아
옆지기가 오라 소리쳐 부른다.
서둘러 가보니 와우! 명을 달리한 고사목이 된 참나무에
올망졸망 붙은 느타리 가족을 넘어서 층층이 붙은 느타리
아파트다.
참 이쁘다. 기쁨이 천 배요. 즐거움은 만 배이다.
가끔 느타리 아파트를 만나면 희열을 느낀다.
오늘처럼 마음을 가다듬고 차분하게 채취하여 옆지기 배낭에
가득 채우고 목적지를 향해 오르락내리락 산행하는데
심심찮게 느타리 녀석들이 눈에 들어온다.
옆지기 배낭은 이미 느타리버섯으로 가득 차 있고
내 어깨도 무거움이 느껴져 돌아쳐야 할 목적지까지는
반이나 남았는데 하산하기로 했다.
3 일간 쉬지 않고 느타리버섯 산행을 했으니 힘이 들 만도
하지 않겠는가.
장대 무게, 간식 배낭, 무게 배낭에 가득 느타리를 담고
능선을 오르내리는 것이 쉽지 않다.

목적지까지 눈에 띌 느타리 녀석들이 눈에 선하지만
병나기 전에 하산하여 집에 돌아와 무게를 달아보니 10 킬로
가 넘는다.
깨끗이 손질하여 키친타월 펼쳐 500g 씩 무게를 달아 감싸고
신문지에 한 번 더 감싸고 비닐봉지에 담아 김치냉장고 통에
들어가기까지 몇 시간이 지나야 끝이 난다.
피곤이 밀려오지만 즐겁다.
오늘도 즐겁고 다가올 내일도 즐거울 거다.
시간이 지나 저녁을 먹고 누워 방 천장을 올려다보며
몇몇 지인들 형제자매들 나눔 할 분들 세며 옆지기께서도
고마운 분들께 김치냉장고에 500g 씩 포장되어 있으니
선물하시라 하고 몸뚱이는 녹초가 되어 방안에 누워 있고
마음은 산에 있지만 훗날을 위해 내일 하루 쉬기로 하고
너무 피곤하여 오지 않는 잠을 연신 청해본다.

-2022.11.03. 느타리 산행-

<김순영과 느타리버섯>

오늘도 느타리 대박 산행

하루 쉬고 오늘도 옆지기와 배낭, 장대, 간식 챙기고
느타리버섯이 가장 많이 나오는 산을 가기로 결정하고 집을
나섰다.
산행 초입부터 나와 같은 생각으로 느타리버섯 채취하러
온 선객들이 눈에 띈다.
휴일이라서 그런지 골진 곳마다 선객들 소리가 들린다.
아무리 사람이 많아도 각자에게 몫은 있을 거다.
옆지기와 이야기하며 한 시간 이상 오르락내리락 산행하는데
느타리들이 도통 보이지 않는다.
옆지기와 눈 맞춰 웃어 보이며 우린 대박도 터트려 봤고
며칠간 많이 따다가 자녀들 형제들 지인들 골고루 나누고도
우리 먹을 것이 조금 있으니 오늘 느타리 한 녀석도 못
볼지 언정 괜찮다. 빡센 산행했다 생각하면 된다.
그렇게 산행은 이어지고 틈틈이 배낭에 담긴 간식들
약식, 찰밥, 귤, 베지밀, 따뜻한 물 차례차례 꺼내어 먹고
생수 두 병만 남았다.
시간도 꽤 지나고 장대들 한번 펼쳐 보지도 못하고 손에
닿는 말라가는 몇 꼬다리 녀석과 작은 몇 느타리 녀석들을
배낭 열어 확인하며 그래도 칼국수에 한 번 넣어 먹을
만큼이다. 옆지기와 한바탕 웃고 하산하기로 했다.
자연은 온도에 맞춰 느타리를 더 내어 주기도 덜 내어
주기도 한다.

우린 발품만 파는 데도 대박 터트릴 때도 쪽박 칠 때도
있지만 괜찮다.
산에 싸돌아 칠 튼튼한 몸과 정신을 정화하는 것만으로
대만족이다.
그렇게 산길이 아닌 인적이 드문 곳으로 가로지르며
하산하다가 바위들이 꽉꽉 들어찬 낭떠러지를 만나
앉은 자세로 우회하며 빠져나와 생수 한 모금 마시며
한숨 돌리고 능선 하나 넘어 등산길 찾아 편한 길로
나가자고 옆지기와 말을 맞추면서도 산을 위아래 살피다가
옆지기께 핀잔을 듣는다.
말할 때 오라 사인할 때 위험한 위치에 있을 때
딴짓하지 말고 집중하라고 쩝... 그렇다 당신 말이 맞다.
하지만 난 약초와 버섯 경력이 16년 차다.
내가 교만한 것이 아니라 헛짓거리 하는 것 같아도
두 발로 굳건히 땅을 디뎌 안전하다 느낄 때 산을 둘러본다.
난 괜찮으니 당신이나 넘어지지 않게 조심하라.
정답게 오르던 버섯 산행이 하산길에 다툼이 되었다.
사람이 참 간사하다 대박 터트리면 모든 것이 좋아 보인다.
쪽박 치면 괜찮다 하면서도 괜스레 투덜거린다.
이쯤에서 고갈된 체력 낭비하지 말고 물 한 모금 마시며
웃으며 하산하자고 하니 옆지기가 화난 것 아니라고 하여
웃어 버렸다.
그렇게 새로운 길 뚫은 하산길에 내가 또 딴짓한다.

<자연산 느타리>

서서 멀찌감치 쳐다보는데 옆지기가 또 소리친다.
집중하라고 옆지기의 소리침이 귓등에 내려앉았을 즈음
골진 능선 위편에 직감으로 햇빛에 반사된 참나무에
느타리 녀석들이 보이는 것 같아,
"여보 나 있는 쪽으로 올라오시오!
느타리버섯인지 못 먹는 잡버섯인지 모르겠지만"
큰 소리로 말을 던지고 헐떡거리며 참나무 앞까지 올라
갔다.
작은 소리로 "대박!!!"
숨 고르며 올라오는 옆지기를 향해 대박이라는 소리를 못
질렀다.
살아있는 참나무에 많이도 붙었다.
느타리가 늦가을 전형적인 흑갈색을 띤 예쁜 느타리
상품으로 따지자면 크지도 작지도 않은 최고의 정품이다.
옆지기가 도착하여 느타리 녀석들을 쳐다보며 하는 말이
"에구 어쩌누"
나도 느타리 녀석들을 또 쳐다보며 "에라 이 자슥들아 쩝"
느타리들 탓인가 낭떠러지에 서 있는 참나무 탓인가
아니면 내가 본 탓인가 진퇴양난이다.
느타리 붙은 참나무가 절벽에 서 있다.
절벽 아래엔 바위들이 발 딛기 힘들게 솟아 있어 중심 잡고
장대를 펼치기도 위험하고 우리 둘은 머리 맞대고 의견 모아
쉽지는 않겠지만 위에서 옆에 나무들에 의지하여 느타리
녀석들을 차례차례 따기로 했다.

옆지기는 5미터 장대에 낫을 달고 나도 5미터 장대에 그물 망을 달고 절벽에서 거리를 두고 한 덩어리씩 따고 담아 안전한 곳으로 나르기로 했다.

낫으로 여러 덩이 따고 그물망에 담아내었다간 망이 아래로 쏠리면 사고로 이어질 수 있어 한 덩이씩 몇 번을 반복하며 따고 나르며 끝이 났다. 이런 위험한 산행도 있다.

서로가 힘을 합쳐 어려움을 해결한 것에 기뻐하며 우리는 배낭에 느타리 녀석들을 나누어 가득 담고 편한 등산길로 발을 옮겨 하산했다.

참 힘이든 휴일의 느타리 산행.

웃을 수 없는 초긴장 대박 산행의 맛을 보았다.

월요일엔 병원에 가야 하기에 내일은 쉬어야겠다.

-2022.11.05. 토요일 느타리 산행-

병원 외래 8 회차

<양수리의 가을날>

한 달이 지나 병원 외래 8 회차를 다녀왔다.
채혈하고 심전도 검사하고 엑스레이 사진도 찍고
시간이 되어 담당 교수님의 진료가 시작되었다.
혈소판, 빈혈, 심전도, 엑스레이 결과 폐도 좋으며
조금씩 좋아 보이는 것이 결과로 나타나니 일상생활하면
된다고 하시며 다음 진료도 한 달 후로 정하고 글리벡도
똑같이 아침에 3 알씩 먹으라 하시며 진료는 끝이 났다.
백혈병 발병한 지 3 개월 하고도 22 일이 지났다.
불행 중 다행인지 지금껏 약에 대한 부작용 없고
근심 걱정 없이 밥 잘 먹고 산에 잘 다니고 있다.

-2022.11.07. 외래 다녀온 날에-

마지막 느타리버섯 산행

너무 가물어서인지 이산 저산 돌아치며 발품 팔아 보지만
느타리버섯 녀석들이 더 이상 보이질 않아 오늘 보여준
느타리 몇 녀석들을 끝으로 2022년도 올해로 마지막
느타리버섯 산행을 접는다.
가물지 않았다면 11월 30일까지 느타리버섯 산행을
할 텐데...
어찌할 수 없는 자연에 순응하며 10월과 11월을 넘나들며
22일간 때론 힘들게 때론 사부작사부작 산행하면서 고사한
참나무에 층층이 아파트처럼 붙어 대가족을 이루고 있을 땐
희열을 느끼기도 하고 고사목에 꽃처럼 몇 다발씩 올망졸망
나와 웃음 짓게 하기도 하고 시기를 놓쳐 바짝 말라버린
녀석들과 자연으로 돌아가는 녀석들을 보며 아쉬워 혀를
끌끌 차기도 했지만 그 안에서 큰 즐거움을 안겨준 가을을
대표하는 느타리 녀석들에게 고마움을 전한다.

올가을에도 많이도 만났던 자연산 느타리버섯들아!
너희들과의 만남은 기쁨이었고 즐거움 그 자체였다.

-2022.11.11. 마지막 느타리 산행-

<자연산 느타리버섯>

구름바다를 만났다

십일월 늦가을 마지막 휴일.
이른 아침 티브이에선 날씨를 전하는 아나운서가 오늘은
영하 5도 한파라며 외출 시엔 옷을 따뜻하게 챙겨 입으라는
말을 새겨듣고 패딩 아웃도어 껴입고 동네산을 산행하기
위해 집을 나섰다.
산은 기온이 더 떨어져 춥지만 계속 오르기엔 춥기보단
시원하다. 아니 산행하기 딱 좋은 날씨다.
뉴스 끝자락마다 온 나라가 들썩거리게 중북부 권역
한파라고 떠들어 대니 등산객들의 마음들도 영하권으로
떨어졌는지 산행길에 한 사람도 볼 수가 없다.
난 좋다. 홀로 산행하는 것이 참 좋다.
가끔 지인들이 홀로 산행하는 것이 무섭지 않으냐고 묻지만
산은 무섭지 않다고 설명을 늘어놓는다.
아주 가끔은 길동무가 있었으면 하는 마음도 잠시 들지만
홀로 산행하다 보면 오로지 나만의 시간을 보낼 수 있어
좋다.
멋지게 보낸 11월을 생각하다 관음봉 정상에 들어섰다.
와우...!!
동네산 정상 좌측으로 보이는 천마산이 구름에 휘감겨
산꼭대기만 보이다가 중턱까지 내려와 마치 터널을 지나
평내 마을로 폭포수처럼 흘려보낸다.

늦가을에 흔하지는 않은 운해는 환상의 그 자체이다.
삼십 분 넘게 활발하게 흘러내리다가 흩어졌다.
아무도 오지 않은 관음봉 정상에서 오늘은 오직 나만의
환상의 특권을 누렸다.

-2022.11.27. 정상에서 일요일-

<동네산 정상>

병원 외래 9 회차

또 한 달이 지나 병원 외래 9 회차 다녀왔다.
채혈하고 심전도 검사하고 엑스레이 검사까지 마치고
1 시간 30 분을 기다리다 진료 대기실로 이동하여 머물다
간호사님께서 호명하여 담당 교수님 방 노크하고 진료가
시작되었다.
교수님께서 지난달과 같이 채혈 검사에서 보인 백혈구,
빈혈 수치도 정상 밑까지 와있고 심전도에도 엑스레이에
찍힌 폐도 큰 변동 없이 건강하며 항암약 복용 후 붓기도
부작용도 없어 다행이라 설명하셨다.
그래... 다행이다. 내게 만성골수성백혈병이라는 것이 찾아와
힘들게 했던 2022 년 7 월 여름날 처음 골수검사 결과에선
혈액에 암세포가 90 퍼센트 떠다녀서 위험 단계라 하였고
지난달 중간 골수검사 결과에선 암세포가 30 퍼센트
남아있다 했다.
오늘도 채혈로 유전자 검사 들어갔는데 암세포들이 얼마큼
남아 있는지 지난 1 월 검사 결과 보며 말씀해 주신다고
하시며 체중 변화도 없고 가려서 먹을 음식도 없으니 이
또한 다행이라 하시며 진료가 끝났다.
그래, 날이 갈수록 암세포 수가 많이 줄어들어 일상생활을
해도 괜찮을 만큼 좋아졌으니 이만하기가 참 다행이다.
앞으로 26 일이 지나면 2022 년을 잊을 수는 없지만
잔잔하게 지나가듯 내게 찾아온 만성골수성백혈병도

2022년도 따라 함께 지나가기를...
다가오는 2023년 새해엔 더욱더 좋은 일들이 다가오기를
바라며...
여기까지 살아낸 내게 수고했다고 말하고 싶다.

-2022.12.05. 월요일-

오늘도 산에 간다

나는 오늘도 산에 간다.
홀로 산행할 때면 많은 생각을 한다.
지난 일들에 다가오는 내일을 오르내리며 오늘도 생각 속에 걷는 산행길.
어느 책에서 인생은 롤러코스터라 본 것 같다.
좋은 일과 안 좋은 일이 한꺼번에 찾아온다는 뜻일 거다.
내게도 올 한 해 평온한 길을 걷다 굴곡진 길도 걷다
낭떠러지에 걸려 쓰디쓴 맛까지 보다 다시 안정된 길에 오를 수 있었다.
인생이 뭐 그런 거 아냐.
좋은 일엔 웃고 안 좋은 일은 이겨내며 살아내지 않은가.
늘 좋은 일 늘 행운이 함께 하진 않지.
이리저리 밀고 밀치며 놓았다 당겼다 살아온 61 년.
내 나이만큼 삶의 무게와 61 킬로의 속도로 달리고 있지는 않을까.
앞으로 얼마큼 더 살아 내야 하는지 알 수 없지만 오늘도
롤러코스터 같은 인생길 위에서 서럽다 하소연하기보단
열심히 살아내는 수밖에.

-2022.12.06. 산행길 위에서-

설산

한 해를 말없이 흘려보내는 십이월의 밤.
티브이 뉴스 끝자락에 모두가 잠이 든 간밤에 비가 올
것이다 눈이 올 것이다 하지만 십이월의 칠흑 같은 밤에
겨울비든 하얀 눈이든 볼 수가 없어 내일의 산행을 꿈꾸다
이른 새벽녘에 깨어 창문을 열어보니 아직 어둠이 버티고
서 있다.
어서 어둠이 걷히기 만을 바라며 애꿎은 창문만 연신 열다
닫다 새 아침이 되어 확인차 창문을 열어 밖을 내려다보니
겨울비가 내려 자동차 지붕들이 촉촉이 젖어 있고 까치발을
높이 들어 동네산을 올려다보니 능선 부분엔 하얀 눈이
보인다.
서둘러 아침밥을 먹고 항암제 글리벡 3 알 삼키고
30 분 휴식하고 배낭에 아이젠, 따뜻한 물, 귤 몇 개 담고
따뜻한 정수기 물에 믹스커피 한 봉지 털어 게 눈 감추듯
마시고 동네산을 향해 집을 나섰다.
산 초입에도 비가 내려 낙엽들이 젖어 있고 능선 쪽에
올라서니 하얀 눈길이 펼쳐진다.
산길에 발자국이 없는 것이 아무도 내 앞엔 가지 않았나
보다.
아!! 아 좋다. 참 좋다.
내딛는 첫 발자국이어서 더욱더 좋다.
내 발자국 꾹꾹 눌러 도장 찍으며 편안한 능선길을 지나

가파른 능선길 위엔 여러 발자국이 찍혀 있다.
누굴까? 나보다 먼저 도장을 찍은 놈이 음...
고라니 두 마리의 발자국, 토끼 발자국도 보인다.
귀여운 녀석들 내가 오르는 산길에...
아니지 어쩜 산짐승 녀석들이 다니는 산길에 내가 지나가는
것일 지도... 누가 먼저이면 어떠랴...
일단 눈 덮인 설산에 들어왔으니 맘껏 즐기면 되는 거다.
하얀 눈길을 오르내리며 볕이 비추는 우측 산길엔
나무들 위에 쌓인 눈이 녹아내리며 눈물을 뚝뚝 떨구고
그늘진 좌측 산길엔 나무들 위에 쌓인 눈이 아름답게
멋진 설산을 만들어 낸다.
이쁘다. 아름답다.
탄성을 지르며 오르다 의자가 놓여 진 곳에 앉아 궁뎅이
도장까지 꾹꾹 눌러 찍다.
새로운 발자국 포착! 음... 이건... 멧돼지 발자국이다!
멧돼지가 어느 쪽에서 와서 어느 쪽으로 가는지 동선 파악
끝내고 서야 어지럽게 흩어진 발자국들을 세어 본다.
고라니들, 토끼, 청설모 무리 지어 다니는 멧돼지들인데 무슨
사정이 있는지 멧돼지 한 마리의 발자국 그리고 내 발자국
눈이 쌓인 산길에 시간차는 다르겠지만 이렇게 너희들도
나도 지나간다.
아무도 오지 않는 산행길 위에 한 시간 넘게 오르내리다
마지막 능선 깔딱 고개를 넘어 가는 길목에 미처 간섭하지
못한 나무들의 밑동이 보인다.

에궁... 나뭇가지 위에 쌓인 설산에 눈이 멀고 짐승들의
발자국에 눈이 멀어 양옆으로 줄지어 늘어선 나무 아래 밑동
그리고 널브러진 고사목과 낙엽들 너희들도 간밤에 내린
하얀 솜이불 두껍게 덮고 웃고 있는 것을 이제 서야 본다.
미안.

-2022.12.13. 동네 설산행하던 날에...-

<무등의 겨울산>

겨울 한파

며칠째 따뜻하더니 오늘은 뉴스의 끝자락 일기예보에
온도가 급격히 떨어져 경기 북부권역 영하 12.1 도로
내려가고 세차게 불어대는 강풍과 합세하여 체감온도 영하
16 도라 한다.
초겨울 한파가 찾아온 것이다.
세찬 바람도 추위에 못 견뎌 창문을 연신 두드리는 아침.
오늘은 산행길에 나서지 못할 것 같다.
투병 중에 열이 37.5 도 넘어 1 시간 이상 지속되거든
서둘러 병원으로 오라는 담당 교수님의 말씀도 있으시고
한파에 체온조절 못해 감기라도 걸리면 나를 바라보는
옆지기 걱정시킬까 오늘은 한 발 뒤로 물러설 수밖에...
아프기 전엔 한파와 폭설을 개의치 않고 강풍을 가르며
산에 갔었는데 어제와 오늘은 분명 다르기에 나 또한
다르다.
지금은 다를 수밖에...
오늘은 긴 하루가 될 것 같다....

-2022.12.14. 집에서-

<평창의 겨울>

<소백산>

대설주의보

이른 아침 6시부터 연신 문자가 온다.
경기 북부청에서 한파에 많은 눈이 내린다고 남양주시에서
외출 자제하라고 자동차 보험사에서 행정안전부에서
대설주의보 발효 내렸다고 스팸문자도 한몫 거든다.
폰 고장으로 문자로만 얘기하잖다.
나~원 이거 이른 아침부터 문자폭탄에 정신이 없다.
나라에서 외부에서 내 안위를 이리 살피니 참 좋은 나라,
좋은 세상이다.
꽁꽁 얼어붙은 한파로 펄펄 퍼붓는 폭설로 산에 가지 못하니
얼굴에 선크림 바르며 치장할 일도 없고 간식 챙겨 배낭
꾸릴 일도 없고 밀어 내지 않아도 쫓지 않아도 이리저리
잘 굴러 가는 세상.
오늘은 밀고 들어오는 모든 문자 확인하며 문자 세상에서
살아낼 테니 다들 보내 보시게.

-2022.12.15. 집에서-

워매!

워매! 겨울 한파에 폭설에 집에 갇혀 산 지 3일째.
하루는 집 안 청소와 밑반찬 만들고 근력 운동하고 티브이
보며 보내고 이틀은 눕다 앉다 뒹굴며 근력 운동하며 연신
울려대는 폰 문자 확인하며 티브이 보며 보내고 삼 일째
집 안 청소 눕다 앉다 뒹굴다 근력 운동하고 폰 문자 오는
대로 확인하고 티브이 앞에 앉아 있어도 답답함을 더해
우울증이 올 것 같다.
옆지기께서 이젠 아프기 전하고 완전히 다르니 겨울에 영하
7도 이하로 떨어지면 외출을 삼가고 집에서 운동하고
있으라 당부하고 조경 일하러 갔다.
약속 지키느라 3일을 보냈는데 앞으로 약속을 더 지킨다면
다가오는 월요일까지 영하 10~14도로 떨어지기에 3일을
더 집에 있어야 한다.
오늘은 한파고 폭설이고 칼바람이 분다 해도 옆지기와의
약속을 접어야지 더 이상 집에 못 있겠다.
아니 더 이상 못 살겠다.
산에는 못 갈지라도 동네 마트라도 재활용 분리수거라도
하러 가야겠다.

-2022.12.16. 집에서-

<하얀 겨울>

동네 마트에 다녀왔다

내일 토요일은 옆지기 생신이다.
해마다 집에서 넉넉한 생신 상을 차렸는데 올해부터는
집에서 상을 받지 않겠다고 옆지기가 백기를 들고 나섰다.
내가 크게 아프고 나니 옆지기가 좀 겁을 먹었나 보다
내 수고를 조금 덜어주려고 둘째 딸한테 한정식집에 예약
하라고 하여 집에서 할 일이 없어졌다.
내가 음식 할 힘이 있을 때까지 가족들한테 엄마 밥, 집밥을
먹일 생각에 즐거운 마음으로 마트마다 돌아치며 좋은 재료
찾아 건강한 음식들을 만들어 먹고 양손에 들려 보냈는데
옆지기께서 설날과 추석날 외엔 강하게 안된다고 하여
이번엔 뒤로 물러서 있기로 했는데 둘째 딸한테 문자가
왔다.
'일백만원' 입금이 들어왔다.
아빠 생신이라 보내온 것 같은데 금액이 많아 전화하려니
역으로 둘째 딸한테 전화가 왔다.
딸 셋이 달마다 회비를 걷어 합쳐서 보내니 쓰라 한다.
해마다 그리했는데 올해는 내가 아프다고 환갑이라고
세 딸들이 큰돈들을 내놓아 목전까지 부담이 컸는데
아빠까지 챙기니 또한 부담이라 회비에 넣어두라 일렀는데도
한사코 쓰라 하여 그리하기로 하고 그냥 집에 있을 수 없어
한파에 칼바람이 불고 빙판길이라지만 몸뚱이 꽁꽁 싸매고
동네 마트에 가서 전류 재료, 쌈 배추, 굴, 육전 지짐이 할

소고기, 능이백숙 재료, 토종닭 2 마리, 전복 등 구입하고
다녀와 냉장고에 보관해 놓았다.
내일은 일찍이 지짐이랑 지난가을에 건조해 놓은 능이버섯
불려 능이 백숙을 만들고 한정식집에 가서 점심 식사가 끝이
나면 집에 돌아가는 길에 둘째네, 셋째네 양손에 들려
보내고 첫째네는 제주도 살기에 못 오니 능이 백숙 대신
제철 과일 한 박스라도 보내야겠다.

-2022.12.16. 마트에 다녀온 날-

<닭백숙>

코로나에 갇히다

열흘 만에 동네산 왕복 8 킬로 산행하고 왔다.
한파경보 아침 9 시 영하 13 도 춥다고 옆지기가 가지
말라고 했지만 한파와 폭설로 며칠간 집에 갇혀 살고
옆지기 생신이라고 옆동네 한정식집에서 둘째 딸네랑,
막내 딸네랑 식사하고 이틀 지나 둘째 딸한테 폰이 왔다.
둘째 사위가 코로나 바이러스 양성 나왔다고 어디서
바이러스를 묻혀 왔는지 알 수도 없으며 우리랑 같이
밥 먹기 전후이든 간에 양성이 나왔다면 우리들도 무사하진
못 할 터이기에 우린 괜찮냐고 안부를 물어와서 괜찮다고
전염됐다 하여도 누구 탓을 하겠냐며 잘 먹게 하고 편하게
쉴 수 있게 하라 일러 두고 이틀이 지났지만 마음이
좌불안석이고 둘째 사위 부모님이라면 자식이 아픈데 가만히
있을까 싶어 서둘러 반찬 몇 가지에 국 끓이고 마트에 들러
소고기, 과일 구입하고 국숫집에 들러 동지팥죽 주문 포장
하여 옆지기랑 둘째 딸내미 집 앞에 도착하여 음식이라도
주고 오려고 폰 했더니 둘째 딸내미도 전염되어 병원에서
수액 맞고 있다며 쉰 목소리로 엄마는 기저질환자인데 지네
집에 오면 어쩌냐고 난리 친다.
나도 감염되면 병원 가면 되고 잘못되면 덜 살면 되지
했더니 둘째 딸내미가 나한테 코로나보다 더 무섭단다.
어찌 됐건 옆지기는 차에 있으라 하고 둘째 딸내미 집에
올라가 둘째 사위 만나 거리를 두고 잘 먹고 쉬면 괜찮으니

마음 편하게 있으라 하고 딸내미 집에서 나왔다.
둘째 딸내미는 병원에서 수액 맞고 집으로 갈 테니
우리한테 집에 가라고 하여 옆지기와 나는 집으로 돌아오는
길에 둘째 사위라도 보고 딸내미는 증상이 가볍다 하니
다행이지 싶다.
살다 보면 이런저런 일들을 수없이 겪기도 하지만 이 또한
지나가기를 바라며 집에 돌아와 혹시라도 잠복기 일 수도
있어 관찰하느라 며칠간 더 집에 갇혀 있으면서 막내
딸내미네도 괜찮냐고 일주일 연락을 해야 했다.
다행히 막내 딸내미네랑 옆지기랑 나도 코로나 바이러스
이상반응도 없고 일주일이 지나 해방이 되었다 확신하며
오늘은 산에 다녀오겠다며 나선 산행길.
산은 그리 춥지 않으며 하얀 세상 하얀 눈길을 오르내리며
미끄러질까 염려하기보단 마음 편하게 산행하기 위해
초입부터 아이젠 착용하고 2시간 넘게 오르내리며 정상에
도착할 때까지 한 사람도 볼 수가 없었다.
다들 춥다고 산에 안 왔나 보다 나만 산에 미쳐서 왔나
보다.
어쨌거나 산에 와서 좋다 혼자라서 더욱 좋다.
하산길에 지인 만나 안부를 묻고 내려오면서 이런저런
생각이 든다.

<양평의 겨울>

지난 열흘간 집에 갇혀 있으면서 우울감에 밤잠 설치고
지난 7월 백혈병에 걸려 기저질환자가 되어 여러모로
자유롭지도 못하고 코로나 바이러스 감염되어 열이 나면
응급실 직행인데 난 어찌 되든 괜찮은데 만약에 잘못된다면
처음으로 코로나 바이러스 감염자가 된 둘째 사위, 둘째
딸이 자책하면 어쩌나 누구의 잘못은 아닌데 항암제 외엔
감기약도 못 먹으니 내가 할 수 있는 건 하루에 두 번
3리터의 물을 주전자에 부어 볶은 구기자와 볶은 맥문동을
팔팔 끓여 따뜻하게 옆지기랑 나누어 연신 마시고 하루
두 번 귤과 사과, 키위를 믹서에 넣고 주스 만들어 마시며
지금은 코로나 바이러스를 피해 갔으면 바라고 바랬다.

그렇게 일주일이 지난 오늘에 서야 해방되어 이리 산을
한 바퀴 돌아치며 답답한 마음 어지러운 생각들을 산자락에
풀어 놓으니 한결 가볍지 아니한가.
그래서 산은 나의 원동력이다.
나는 산행할 때가 가장 즐겁다.

-2022.12.24. 김순영-

오늘은

2022년 올해도 5일 밖에 남지 않은 12월 26일이다.
참 힘든 일들이 많았던 해, 시간이 멈추기를 바라던 날.
내게 무엇이 잘못되었는지 묻던 날.
버티는 것 말고 아무것도 할 수 없던 날.
나 지금까지 잘 살아 냈는가?
잘 살아왔는가?
오늘만은 묻고 싶지도 생각하고 싶지도 않는 평온한 12월의
한 날이고 싶다.

-2022.12.26. 평온한 산행길에-

<평창목장의 겨울>

아프다

아프다.
머리가 새벽녘부터 흔들리며 깨질 듯이 아프다.
두 눈알도 아프다고 인상을 찌푸린다.
열은 오르지 않아서 다행이다.
이른 아침에 출근한 옆지기가 염려할까 싶어 아프단 소리를
하지 않았다.
겨울산을 헐떡이며 며칠을 돌아쳤더니 목구멍도 따끔거린다.
투병 중인 것을 잊고 너무 무리했나 보다.
밥맛이 없어 베지밀 한 팩으로 아침을 대신하고 항암제 3알
삼키며 체온기를 옆에 두고 오늘은 지켜볼 일이다.

-2022.12.27. 아침에-

잠 못 드는 밤에

칠흑같이 어두운 밤 머리가 아파서 잠에서 깼다.
이리 늙어가는 것이라 위로하고 싶지는 않다.
매 순간마다 아픈 날이 많아진다면 어찌해야 할까.
머지않아 움직이기 힘든 날이 온다면 그땐 어떤 행동을 해야
할까.
오늘처럼 잠 못 이루고 아픈 밤엔 내 스스로에 스트레스
받으며 아침을 맞는다.

-2022.12. 28. 김순영-

<다람쥐>

잘 가시게 2022!

임인년 범띠 마지막 날에 2시간을 오르내리며 동네산 정상
관음봉에 도착하여 마주 보이는 백봉산을 바라보다 보온병에
담아 온 뜨거운 차 한잔 불어 마시며 올 한 해 힘겹게
달려온 다사다난했던 일들에 가슴 한 켠이 먹먹하며
눈시울이 붉어진다.
오랜 시간 오랜 날들 산을 택하여 살아왔기에 잘 견뎌낼 수
있었고 다시는 마주할 수 없는 2022년 마지막 날 산 정상에
올라설 수 있음에 산과 내게 감사한다.
그리고 잘 가시게 2022!

-2022.12.31. 관음봉에서 김순영-

<설산>

2023.01.01 해맞이 산행

새해 첫날 관음봉 산 정상에서 해맞이하려고 새 아침
5 시 50 분에 집을 나섰다.
어둠이 짙게 깔린 산행길 헤드랜턴에 의지하여 1 시간 30 분
걸려 산 정상에 들어섰다.
배낭에 담아 간 따뜻한 차 한잔 마시며 기다리니 새 아침
동이 터온다.
2023 계묘년 새해 첫날 새 아침이 밝았다.
저 멀리 저 산맥을 넘어 찬란하게 아름다운 빛이 새로운
세상을 밝히며 떠오른다.
올 한 해 열심히 살아갈 우리 가족들 모두가 무병 무탈
하기를...

-2023.01.01. 새아침에-

<동네산 일출>

병원 외래 10 회차

새해를 맞아 병원 외래 10 회차 진료를 받기 위해 아침 7 시 30 분에 집을 나섰다.
자동차로 30 분을 달려 8 시 병원 도착.
채혈, 심전도, 엑스레이 검사하고 예약시간 10 시 20 분 되어 담당 교수님 진료가 시작됐다.
암세포가 20 퍼센트 더 생겨났다며 항암제 글리벡에서 다사티닙으로 바꾸어 복용하자고 하여 그리할 수밖에...
걱정할까 위로의 말씀도 아끼지 않는다.
염려하지 말고 이전처럼 생활하며 새로운 항암제 복용하여 암세포 수치를 줄여 보자고 하시며 몸에 이상신호가 오는지 잘 관찰해야 한다기에 알겠다고 복잡해진 머릿속 정리 못한 채 연신 고개만 끄덕일 뿐...
그리고 당분간 일주일에 한번 내원하여 결과 보자 하시며 긴 설명 끝으로 진료가 끝났다.
그래, 내가 머 근심을 한들 당장 암세포 수가 줄어들겠는가 난 정신력이 강하니 항암제 시간 맞춰 복용하고 버티다 보면 내일은 더 좋아져 있겠지.
오늘은 아무 생각도 하지 않을란다.
얼른 집에 가서 한숨 자야겠다.

-2023.01.09. 병원 다녀오는 길에-

다사티닙 복용 1 일째

다사티닙 2 세대 항암제 복용 1 일차.
아침밥 먹고 항암제 한 알 삼키고 지난 3 일 동안
미세먼지가 심하여 산행을 못해 오늘은 아침 창문 열어
맑은 하늘 확인하고 동네산을 향해 집을 나섰다.
산 초입부터 속이 조금 울렁거렸지만 대수롭지 않다
중얼거리며 능선길 오르내리다 시간이 지날수록
머리도 아프고 눈도 아프고 속도 울렁거려 산 정상 밑에서
돌아서야 했다.
하산 길을 길이 평이한 옆동네 등산로를 택하여 괜찮다
연신 다독이고 숨 고르며 천천히 걸어 옆동네 입구에
도착하니 옆지기가 자동차 끌고 마중 나왔다.
집에 도착하여 베지밀 한 팩 마시고 낮잠을 얼마큼 잤을까
옆지기가 이마를 만져 깨어 보니 방 천장에 붙은 형광등이
환한 빛으로 웃고 있다.
머리 아픔, 눈 아픔, 울렁증도 멈췄다.
요즘은 묵직하게 머리가 아파질 때면 서둘러 밤 낮 가리지
않고 잠을 잔다.
이제 오후 5 시인데 긴 겨울밤 어찌 보낼꼬...

-2023.01.10. 낮잠 자고 일어나서-

다사티닙 복용 2 일째

다사티닙 복용 2 일차.
이른 아침 눈을 뜨니 얼굴이 묵직한 느낌이 들어 거울
앞으로 다가갔다.
쩝... 눈 두덩이 퉁퉁 양 볼도 퉁퉁 부었다.
항암제 적응 기간이라 생각하며 팥 주머니를 전자레인지에
따뜻하게 데워 눈두덩이에 올리기를 몇 차례하고
창문을 열어 날씨도 살피고 아침상 차리는데 퉁퉁 부은
모습을 본 옆지기가 어찌하면 좋냐고 묻는다.
외출하고 집으로 돌아오는 길에 죽집에 들러 호박죽 사
오시라 하고 아침 먹고 항암제 한 알 삼키고 배낭 꾸리니
옆지기께서 산에 가지 말라고 말린다.
집에 있는 것보다 산에 가는 것이 편하니 가겠다 했다.
휴식하고 동네산을 향에 9 시에 집을 나섰다.
등산길 따라 3 시간 30 분 오르내리며 산행하면서 두통과
울렁증과 약간의 근육통이 있었지만 견딜 만큼이라
다행이었고 내가 아파서 이 또한 다행이라 생각하며
집으로 오후 1 시쯤 돌아와 베지밀 한 팩 컵에 따라 마시고
밤중에라도 갑자기 응급실 행차하면 어떡하지 염려되어
집안 청소하고 씻고 냉장고 열어 반찬 정리하고 시래기
된장국 한 솥 끓이고 있는데 옆지기가 호박죽 포장해 왔다고
내밀며 산행 중에 어땠냐고 묻길래 괜찮다 하고

호박죽 나누어 먹으며 어제보단 오늘이 더 괜찮고 내일은
더욱 괜찮겠지...
점심도 저녁도 아닌 호박죽을 4시가 되어서 먹으니
오늘 저녁밥은 늦게 먹을 것 같다.

-2023.01.11. 저녁때...-

다사티닙 복용 3 일째

다사티닙 복용 3 일째 날.
이른 아침 일어나 거울 앞에 서 본다.
눈 두덩이가 부은 것 말고 두통도 울렁증도 근육통도
사라졌다.
항암제 한 알의 힘이 큰 몸뚱이를 무너지게 하기도
적응하기도 낫기도 하니 참 대단하다.
아침을 챙겨 먹고 다사티닙 한 알 삼키고 오늘도 산행하기
위해 집을 나섰다.
산행 초입부터 핸드폰 소리가 요란하게 울린다.
딸내미들은 괜찮냐고 안부를 묻고 옆지기는 아프면 바로
내려오란다. 에궁~ 이제 산 초입인데 오늘은 별나게 연신
울려대는 핸드폰이 내 발목을 잡는다. 그래 오늘만은 넓은
마음으로 다 받을 터이니 모두들 내게 연락하시오.
그렇게 능선을 따라 오르내리며 울려 대는 문자, 카톡 받고
보고 답하느라 시간이 다소 걸려서 정상에 도착했다.
하산 길에 지인들을 만나 내가 잘 먹고 가끔 가는 추어탕
집에 들러 추어탕과 소주 주문하고 지인들이 투병 중에 있는
것을 모르기에 권하는 소주 한잔 애꿎은 빈혈에 덮어 씌워
극구 사양하며 추어탕만 한 그릇 뚝딱 비우고 집으로 향하며
산행하기 좋은 날 지인들과 즐거운 날을 보냈다.

-2023.01.12.-

<손녀 딸내미들한테 만들어 준 오재미>

겨울비

다사티닙 복용 4 일째.
긴 겨울밤 잠을 푹 자고 일어났다.
습관처럼 거울 앞으로 갔다.
두 눈이 조금 부은 것 말고는 상쾌하다.
이제 항암제 다사티닙 복용 얘기는 글로 쓰지 않아도 될 것
같다.
습관처럼 창문을 열어젖히니 겨울에 비가 내리고 있다.
비가 오면 쉬는 날이다 밖에서 노동일 하는 것도 아닌데
모든 것을 스톱하고 집안에서 종일 먹다 눕다 뒹굴다
멍 때리기를 반복한다.
오늘같이 비가 오는 날엔.

-2023.01.13. 비 오는 날에-

나의 장례식은 이렇게

무어라 쓸까... 무엇부터 쓸까...
말로도 글로도 갈피를 잡을 수 없이 어수선하지만
불치병에 걸리고 나니 죽음의 대한 생각을 아니 할 수 없어
미리 나의 장례식 이야기를 써 볼까 한다.
지난 61 년을 어찌 살아왔든 어찌 살아냈든 허무하다
서럽 다기보단 그냥 말없이 가슴에 다 묻고 싶다.
언젠가 이 세상을 떠나야 하는 나의 장례식은 허례허식과
겉치레를 하지 않으며 근검절약 했으면 좋겠다.
나의 장례식은 많은 사람들에게 알리지 말고
많은 사람들이 오지 않았으면 좋겠다.

남편(옆지기), 딸내미들, 사위들, 나의 형제자매 6 남매,
고모, 고모부 이렇게 가족장이었으면 좋겠다.
나의 장례식은 슬퍼하지도 울지도 않았으면 좋겠다.
모두가 웃는 얼굴이었으면 좋겠다.
나의 장례식은 화장하여 딸내미들이 갑자기 갈 곳이
없어지면 허전할까 봐 납골당에 1 년만 두었다가
1 년 후에는 옆지기한테 동네산 조망권이 좋은 못난이
소나무 아래 묻어 놓으라 말을 해 둔 상태다.
그리고 가능하면 영정사진을 위 사진으로 썼으면...

-2023.01.13. 비 오는 날에-

<김순영>

눈이 내리네

연이틀 겨울비가 쉼 없이 내리더니 삼일 째 되는 휴일엔
종일 하얀 눈이 내린다.
창문 밖 흰 눈이 펄펄 내리는 하얀 눈을 하염없이
바라다보니 갑자기 눈이 내리네 샹송 노래가 떠오른다.

눈이 내리네
오늘 밤 그대는 오지 않겠죠
눈이 내리네
나의 마음은 검은 옷을 입고 있죠

노래 가사는 슬프고 나의 마음은 처량하다.
어제오늘 일은 아니다.
암세포가 수가 늘어나 항암제 바꾸던 날부터 괜스레 마음이
바쁘다.
무엇이든 간에 정리해야겠다는 생각이 자주 든다.
어제처럼 연이틀 비 오는 날에도 오늘처럼 하염없이 퍼붓는
눈이 올 때도 하얀 고독이 아닌 급히 떠나게 된다면
어찌해야 할까.
일단 나의 장례치를 의식은 글로 써서 올려 났지만
무언가 착잡하기만 하다.
한바탕 울고는 싶은데 눈물이 나질 않는다.

-2023.01.15. 휴일에-

<겨울산>

병원 외래 11 회차

항암제 글리벡에서 다사티닙으로 바꾸어 9일 동안 복용하고
다시 병원에 내원하여 검사 마치고 10시 30분 예약 시간에
맞춰 담당 교수님과 마주했다.
교수님께서 며칠간 힘들었냐고 물으신다.
이틀간 눈두덩이와 얼굴이 붓고 울렁증, 두통, 근육통까지
3일째 되는 날부터 괜찮았다고 하니 교수님 말씀이 이틀간
이상 증세 보이고 3일째 괜찮으니 아주 다행이라며 늘
낮았던 백혈구 수치가 정상에 진입했으니 이대로 치료하자고
하시며 검사한 폐, 간, 신장도 이상 없으니 약 꾸준히
복용하고 2주 후에 내원하라 하시며 진료가 끝났다.

그래, 이대로도 가보자.
항암주사 맞지 않고 수술대에 눕지도 않았으니 이 또한
다행이지 싶다.
오늘은 여기까지만!

-2023.01.18. 병원 다녀오는 길에-

옆지기 입원하다

옆지기 보호자님이 입원했다.

지난 2022년 1월 초 왼쪽 무릎에 이상이 생겨 철심 몇 개 끼워 넣고 수술했는데 1년이 지난 오늘 철심을 제거하기 위해 여러 가지 검사도 하고 집도의께서 1시간 정도 수술 예상하며 이틀간 입원과 수술에 대한 절차를 끝으로 진료를 마치며 간호사님으로 바통이 넘겨져 병동 배정을 받고 8층 병실로 옆지기와 올라가는데 간호실 입구에서 나는 들어가지 못한다고 막아선다.

몇 해째 이어지는 이놈에 코로나19 바이러스 때문에 보호자는 병실엔 들어갈 수 없다 하여 준비한 생필품들을 간호사님께 건네 드리고 오후 4시 수술시간까지는 5시간을 기다려야 하기에 끌고 간 자동차 앞세워 집으로 돌아왔다.

몇 시간을 집에서 쉬고 있다가 수술시간 맞추어 운동 삼아 1시간 걸어서 병원 수술 대기실에 도착했는데 옆지기는 수술 대기실에 오지 않아 병원 관계자께 물으니 앞서 수술한 분들이 방을 못 빼고 있어 수술이 지연된다고 한다.

시간이 얼마큼 지났을까 옆지기는 병실에서 40분 넘게 대기 중에 있다가 침대에 실려 내려와 수술실로 들어가서 6시 넘어서 초췌한 모습으로 링거 줄을 주렁주렁 달고 나왔다.

에—궁, 어째야 쓰까.

침대에 누워 병실로 옮겨지는 엘리베이터 안에서 간호사님께
죽이라도 먹일까 여쭈니 간호사실에 마춰 풀리면 밥을 먹을
수 있게 준비해 놓았으니 나보고 어서 집에 가라 한다.
그렇게 옆지기는 병실로 옮겨지고 나는 병원에서 나와
어둠이 짙게 깔린 길 위에서 불빛을 강하게 비추이는
정류장을 찾아 집으로 가는 버스에 올라 의자에 몸뚱이를
기대며 긴 하루 병원에서 길 위에서 보내고 집으로 간다.

-2023.01.19. 보호자님 입원하는 날에-

<청설모>

잠이 오지 않는 밤에 1

마취는 풀렸을까? 밥은 먹었을까?
지쳐서 기진맥진하여 잠자는 건 아닐까?
수술 후 5 시간이 지났는데 어찌하고 있을까?
크게 아프지도 고통스럽지도 않아 다행이지만 병원 병실에
홀로 두고 온 옆지기를 이러지도 저러지도 못하고 모두가
잠이 든 늦은 밤 눈은 티브이에 초점을 맞추고 마음은
병원에 있다.
눈꺼풀은 무거워 점점 내려앉고 눈 밑 다크서클은 어두운
그림자가 되어 광대뼈까지 내려왔건만 잠은 오질 않는다.
내일도 나름 바쁠 텐데... 김 순 영 아 안 잘 거야.

-2023.01.19. 잠이 오지 않는 밤에-

<저수지 가장자리>

옆지기는 입원 중

아직 동트지 않은 6시 이른 아침 옆지기한테 전화가 왔다.
"네 보호자님, 어떠하십니까?" 괜찮단다. 다행이다.
"밥은 언제 드셨습니까?"
지난 늦은 밤 12시 지나서 먹었다고 한다. 그래 다행이다.
아침엔 두 발로 디뎌 걸었다고 한다.
집도의가 수술 다음날 바로 걷는다고 말씀하셨지만
이 또한 다행이다. 간밤에 하얀 눈이 소복이 내려
버스 타고 점심쯤에 갈 테니 먹고 싶은 것 있음 전화하시오
하니 1초도 기다림 없이 인절미 사오란다.
그래, 참으로 다행이다.

-2023.01.20. 옆지기한테 전화 온 아침에...-

<겨울딸기>

옆지기 퇴원하다

고유 명절 설날이 시작된 휴일.
옆지기가 2박 3일 병원생활 마치고 퇴원한다.
오늘 일정들이 많아 오전 11시 안에 퇴원 절차를 마치고
병원에서 나오기로 하여 아침부터 서둘러 8시 30분에 병원
도착했다. 너무 이른 시간에 왔나 보다.
주차장엔 차들이 한 대도 없다. 옆지기한테 도착했다고
연락을 하고 병원 원무과로 올라왔다.
여기도 이른 시간이라서 아무도 없다. 직원들이 올 때까지
기다릴 수밖에... 9시가 되어 번호표 1번을 뽑고 업무가
시작된다. 연휴라서 보험사 서류들은 발급이 안된다고
임시로 정산하고 퇴원하라 한다. 그리할 수밖에 별도리가
없지 않은가. 정상으로 진료하는 날에 다시 병원에 내원하여
정산하고 보험사 서류 발급받기로 원무과 직원과 이야기하고
있는데 옆지기는 병실에서 처치실 호출 받고 내려왔단다.
서둘러 처치실로 들어가 수술 자국 소독하고 다시 짐 좀
정리하러 병실로 올라간다기에 주차장에서 만나기로 하고
나는 원무과에서 퇴원 수속 마무리하고 주차장으로 내려와
시간이 흐른 뒤 주차장으로 내려온 옆지기와 10시가 넘어
병원을 떠날 수 있었다.
오늘은 설 연휴라서 몸도 마음도 여러모로 바쁠 것이다.

-2023.01.21. 퇴원하는 날에...-

겨울나기

올겨울은 참 춥다.
며칠째 곤두박질치는 한파와 폭설 앞에 전기온열매트 위에서
이불과 한 몸이 되어 있다가 추위가 잠시 주춤하는 것을
틈타 툭툭 털고 집을 나서 산행길 위에 섰다.
혹한 겨울바람 속에서 늘 산행길을 지키고 서 있던
나무들도 견뎌내고 버텨냈는지 앙상하게 야윈 모습들이
한없이 시리다.
그래 조금만 더 견디어 보자.
곧 따스한 봄이 올 터이니...

- 2023.01.29. 산행 중에...-

<겨울산>

보리굴비

입맛이 없어 냉동실을 뒤적거리다가 이쁘게 빚어 쟁여 놓은
만두에 손을 갖다 대니 통황태(통으로 말린 생선) 녀석들이
눈알을 부라리며 째려본다.
허리를 길게 늘어 빼고 누운 보리굴비 녀석들도 덩달아
째려본다.

왜!!
나더러 어 쩌 라 고....

-2023.01.29. 보리굴비찜 해먹는 날에-

달력 한 장이 뜯겨 나갔다

속담에 세월이 유수와 같다고들 하더니 2023 년 12 개월 중
1 월의 달력이 뜯겨 나갔다.
꼭 가야만 하는 어제의 하루를 허겁지겁 흘러 보내고
달려온 오늘은 더욱더 잘 살아 내기를 다짐도 해보지만
육십이 넘어선 하루 끝자락의 삶은 여전히 고되다.

-2023.01.31. 1 월의 마지막 날에-

<태안 바닷가>

병원 외래 12 회차

2 주가 지나 오늘 병원 외래 12 회차 다녀왔다.
갈 때마다 같은 방법으로 채혈하고 심전도 검사, 엑스레이
찍고 기다리다 담당 교수님 진료가 시작된다.
2 주간 집에서도 변화 없이 지냈고 검사한 부분들도
큰 변화 없이 정상에 가까운 자리를 지키고 있으며
새로 바뀐 다사티닙약도 부작용이 없어 담당 교수님께서도
다행이라 하시며 항암제 복용하면서 중도에 열이 나거나
그 밖에 이상이 있을 시엔 병원에 내원하라 하시고
한 달 후에 보자 하시며 진료가 끝났다.

그래 별 이상이 없으니 쭈―욱 이 대로 가보자.
이리 저리 가다 보면 더 좋은 날이 오겠지.

-2023.02.01. 병원에 다녀온 날에-

산에 다녀왔다

며칠이 지나 산에 갔다.
양지뜸 산길엔 흰 눈이 녹아내려 질퍽거리고,
그늘진 산길엔 흰 눈이 녹아 얼어붙은 빙판길이다.
늘 오르던 산길이지만 안전을 위해 등산화 밑창에 체인
아이젠을 부착해서 신었다.
빙판길 위엔 아이젠이 딱 들어맞아 걷기 좋은데
양지뜸 길 위엔 아이젠에 흙뭉텅이가 한 짐씩 들러붙어
걷어내며 걷는데 어색하기가 짝도 없다.
이런 아이젠을 벗어 버리자니 앞선 빙판길이 나오고
아이젠 신고 산행을 하자니 불편함에 아우성이 쳐진다.
며칠 만에 올라온 산인데 나무들에 산바람에 눈길을
줄 여유도 없다.
그래 이러지도 저러지도 못할 거면 마음을 비우고
아이젠에 찰싹 달라붙은 흙뭉텅이와 이기고 지는 싸움이
아닌 이 산을 나갈 때까지 몇 판의 씨름이라도 해야겠다.

-2023.02.02. 산행하면서...-

입춘

오늘은 봄의 시작을 알리는 입춘이란다.
아직 추운데...
아직 산 그늘엔 흰 눈이 녹지 않았는데...
봄은 신발도 신지 않은 채 달음질을 치며 오고 있나 보다.

-2023.02.04. 입춘날에 산행...-

<동네산>

냉이

2월의 첫 번째 휴일에 봄 냉이 캐러 묵정밭으로 나왔다.
꽁꽁 언 땅을 뚫고 나온 냉이 녀석들.
너의 강인함에 칭찬할까.
너의 푸르름을 부러워할까.
양지뜸에 꼭꼭 숨어 있었더라면 좋았을걸.
너희들 뿌리가 인삼이라도 되는 것처럼
호미를 든 나의 손에 쏙쏙 끌려 나와
우리 집 저녁 식탁 위에서 나물이 되고 된장국이 되어
나와 옆지기의 살을 찌운다.

-2023.02.05. 냉잇국 먹던 날에-

<자운영꽃>

저수지 둘레길 위에서

오늘은 미세먼지가 심하여 산행하기보단 마스크를 쓰고
돌아도 괜찮은 저수지 둘레길을 택하여 발걸음을 옮겼다.
맑은 날 둘레길 초입 공연장으로 만들어진 데크에 들어서면
호수 전체가 한눈에 들어오는데 미세먼지가 심한 오늘은
퇴색이 된 회색빛 물안개가 피는 듯하다.
이러하든 저러하든 얼음이 녹아내린 저수지 가장 자리엔
아침거리 찾아 나선 물오리 떼가 번갈아 가며 자맥질하느라
바쁘다.
오리들에 정신을 팔 수 없어 걸음을 재촉한다.
희뿌연 호수를 끼고 조성된 수변데크를 따라 걷는데
데크 아래 얼음장 밑에선 무슨 일이 일어나는지 겨우내
굶주린 성난 짐승들이 울분을 토해 내 듯 큰 소리로 시차를
두고 궁 궁 궁 얼음들의 울림에 깜짝 놀랐다.
이 또한 봄이 오는 소리 인가 보다.
둘레 길 한 바퀴 도는데 3.2 킬로, 보통 걸음으로 4900 보.
오늘 여기 저수지 둘레 길 위에서 쳇바퀴 돌 듯 두 바퀴를
설정하고 미세먼지에 주변 경관들을 볼 수 없으니 봄이 오는
큰 소리를 들어야겠다.

-2023.02.06. 저수지 둘레길에서-

<동네 저수지 둘레길-둘째 손녀딸>

환절기 산행

희뿌연 초미세먼지가 며칠 동안 온 나라 대지를 덮고
극성을 부려 산행을 중단했다.
며칠을 묵묵히 기다리니 뉴스 끝자락마다 초미세먼지가
지방으로 내려갔다기에 해방이 되어 산행길에 올랐다.
언제부터인가 봄이 되면 중국발 황사로부터 비상사태였는데
이젠 황사보다 더 센 초미세먼지라는 놈이 나타나 온 나라를
휘젓고 다녀 기저질환자가 된 나의 발목을 붙잡다 놓았다
한다.
봄은 화사한 매화꽃들을 데리고 오지만 황사 또는
초미세먼지를 끌고 요란하게도 온다.

-2023.02.09. 봄 산행길 위에서-

<동네산>

잠이 오지 않는 밤에 2

잠이 오지 않는 밤엔 생각도 많아진다.
만약에 내가 갑자기 세상을 떠난다면 만약에 딸내미들이
정리할 것도 없지만 내 인터넷을 정리하다가 엄마의
투병기를 본다면 엄마의 강인함보다 엄마가 외로움에 산과
친구 먹고 살아온 글을 보고 서글퍼 한다면 딸내미들에게
이런 글을 남기고 싶다.

'외롭지 않은 삶은 없다'

오래전에 정호승 시인의 '수선화에게'라는 시집을 읽다가
강하게 한 줄이 다가와서 옮겨 본다.

'산 그림자도 외로워서 하루에 한 번씩 마을로 내려온다.'

산 그림자도 그러한데 감정이 있는 사람은 어떠하겠냐.
누구나 외롭지만 외롭지 않게 살려고 때론 사물과 친구
하기도 때론 사람들 속에 파고들며 보이지 않게 견디는
거다.
62 년을 살다 보니 순간 변해가는 사람보단 오롯이
끊임없이 나를 물을 수 있는 자연이 더 나을 때가 많더라.
나만이 아닌 아마 모든 생명이 그러할 거다.

그래도 나는 표현할 수 있는 약간의 글재주가 있어
드러내는 것이고 드러내지도 못하고 가슴앓이 하며
견디는 사람들이 훨씬 더 많더라.
떠나는 이가 남는 이에게 꼭 하고픈 말을 해야 한다면
각자의 삶을 잘 살아 내기를.
잘 먹고 잘 입고 쓰는 것이 아닌 내가 하고 싶은 것들을
끊임없이 찾아내어 즐겁게 살아내는 것이 삶을 잘 살아내는
것이다.
물질이 따라주지 않는다면 물질 없이도 할 수 있는 것을
찾아서 수없이 외로움이 괴로움이 찾아오면 묵묵히
견뎌내기를...
그리하다 보면 나이도 더 먹을 것이고 그리하다 보면
생각도 무뎌지고 견디는 것도 별거 아님을 견딜 수 없으면
손아귀에 움켜쥐고 있는 것들을 생각 속에서 괴롭게 하는
것들을 놓아버리는 것도 지혜다.
나이가 들어가니 지식보다 지혜가 더 필요하더라.
창문 밖에서 새 날이 들어온다.
오늘은 어떤 일들이 내게로 다가올지 지난밤 아무 일도
없었던 것처럼 툭 털고 일어나 오늘을 준비해야겠다.

-2023.02.10. 생각이 많은 새벽녘에-

<겨울산>

큰 딸한테 전화가 왔다

지난 휴일 저녁 무렵에 큰 딸아이로부터 전화가 왔다.
안부를 묻고 이야기가 계속된다.
환절기라서 그런지 면역력이 떨어져서인지 아침이 되면
힘이 든다고 예전에 엄마가 환절기 되면 홍삼고, 대추고
만들어 준 것이 생각이 난다 하여 만들어 보내기로 하고
다음날 동네 로컬푸드 인삼 매장 문 여는 시간에 맞추어
6년근 인삼 구입하고 서둘러 집에 돌아와 인삼을 씻어
찜기에 한 김 나게 찌고 건조기에 말리기를 7번 이상
번갈아 가며 수고로움을 더해야만 인삼이 서서히 변하여
홍삼이 되고 홍삼이 되면 으깨어 꿀과 버무리면 홍삼고가
완성되는 데 이틀이 걸린다.
인삼이 홍삼으로 변해가는 동안 김치냉장고에 쟁여 놓은
실한 대추 꺼내어 씻어 압력밥솥에 찌고 뜸 들여
따뜻할 때 채반에 곱게 내린 대추 살을 냄비에 조려 수분이
반쯤 날리면 꿀을 넣고 걸쭉하게 만들어 대추고가 완성되어
식혀서 소독한 유리병에 담아 놓는다.
멀리 제주에 살기에 두 가지만 보내기가 약소한 것 같아
지난가을에 채취하여 세 번 찌고 세 번 말려 놓은 둥굴레
뿌리 약초를 꺼내어 팬에 노릇하게 볶아 식혀 봉지에 담아
놓고 자투리 시간을 이용하여 소멸치를 팬에 볶아 호두 넣고
꿀과 통 들깨 넣고 만들어 식히는데 옆지기는 스티로폼
박스를 준비하고 포장하려고 대기 중에 있다.

시간이 지나 모두 완성이 된 대추고, 홍삼고, 둥굴레 닦음,
소멸치 볶음을 모아 스티로폼 박스가 빈 곳이 없도록
손녀 딸내미들 간식까지 넣고 포장을 마무리하여 우체국
택배 접수 한 시간 전에 우체국에 도착하여 제주행 택배를
부쳤다.
이틀간 여러 가지 만들어 보내고 저녁이 되어 제주 큰
딸내미한테 택배 보냈으니 이틀 후에 도착 소식 전하라 카톡
보내며 끝이 났다는 홀가분함보다 이리 살아있어 필요한
부분을 해줄 수 있어 뿌듯하다.

-2023.02.07. 홍삼 만들던 날에-

<분홍노루귀꽃>

봄길 위에서

봄바람에 헝클어진 머리칼 쓰다듬으며 들어선 산행.
입춘이 지나고 포근하게 풀린 날씨가 봄이 곁에 다가왔음을
느낀다.
능선길에 서있는 떡갈나무들도 살아있음을 서로 알리듯
거친 봄바람에 탁탁 부딪치는 소리도 정겹다.
거역할 수 없는 대자연의 섭리처럼 인고의 세월을 견뎌내니
봄은 바람을 타고서도 온다.

-2023.02.13. 봄 산행길 위에서-

망친 채소 카레

과한 것은 부족함만 못하다는 말.
저녁 밥상에 올릴 채소 카레를 두고 하는 말이다.
아프기 전에도 봄이 되면 잘 먹지 않아 손끝이 저릴 때면
억지라도 잘 먹는 것을 찾아 몸에 저장해야 산행을 이어
갈 수 있어 동네산 산행하면서 무얼 해먹을까 생각하다
고기를 뺀 채소 카레를 만들면 많이 먹을 것 같은 생각이
들어 산을 한 바퀴 돌아치고 하산길에 마트에 들러
카레 가루, 브로콜리, 팽이버섯을 구입하여 집으로 돌아왔다.

저녁밥 때가 되어 냉장고에 저장된 감자, 당근, 양파 꺼내고
마트에서 구입한 채소들을 합해 다듬고 씻고 썰어 도마 위에
모아 놓으니 알록달록 다채로운 색깔을 가진 채소들이 참
이쁘다.
냄비에 다채로운 채소들을 차례대로 볶고 정수기 물 넣고
한소끔 끓여 미리 물에 개어 풀어놓은 카레 넣고 한소끔
더 끓이고 뜸을 들이는데도 걸쭉해져야 할 카레가 물 조절
실패로 국물이 흥건하여 국이 될 판이다.

에~궁 세상 쉬운 카레 하나 못 만든 나도 감이 떨어졌나
보다. 카레 국물을 조금 퍼내볼까 하다 냉동실에 강황가루
있음을 생각해낸 나의 기억을 칭찬하며 몇 스푼 퍼서 넣고
걸쭉하게 만들어지는 것에 만족하며 맛을 보니 쓰다.
너무 쓰다. 이런 대 환장할 노릇이다.

밥맛이 없어 많이 먹어 볼 만한 음식을 만든다는 것이
과했다.
겉보기엔 알록달록 다채로운 채소로 만든 예쁜 카레는
저녁 밥상에 올려지지 않았다.

-2023.02.15. 망쳐버린 카레 만든 날-

<카레>

묵은지 고등어조림

어제의 채소 카레 실패는 뒤로하고 오늘은 묵은지 고등어
조림으로 정했다.
아는 맛이라 생각만 해도 밥을 부르는 것 같지 않은가.
동네산 한 바퀴 돌아치고 하산길에 마트에 들어가 생선
코너로 먼저 고고씽~
생선코너 주인장께 고등어조림용으로 한 마리만 손질해
주세요 하니 고등어 한 마리가 만원이란다.
고등어가 너무 비싸 진열해 놓기가 미안하단다.
비싼 고등어가 생선코너 주인장 탓도 그렇다고 구입하러
간 내 탓도 아니지 않은가. 음... 다른 생선들 물리치고
묵은지 고등어조림해서 밥 한 그릇 뚝딱하려 했는데
순간 마트 포인트를 생각해 낸 나의 기억 소환에 또 칭찬해
본다. 비싸면 비싼 대로 고등어 한 마리 손질해 달라고 하여
계산대로 들고 가서 포인트 점수 14,000점 확인하고
고등어 값 만원 치르고 값비싼 식재료 살 때 보태려고
4,000점 남겨 났다.
발품 팔아 마트에 들락거린 결과를 고등어를 통해 덤으로
얻어 온 것 같아 집으로 오는 길에 웃어도 본다.
오늘 저녁 밥상에는 금테를 두른 묵은지 고등어조림이
오를 것이다.

-2023.02.16. 고등어조림 먹던 날에-

2월의 세 번째 휴일

쉼 없이 며칠을 산행했더니 오른발 발바닥이 병이 났다.
전에도 족저근막염 진단을 받은 적이 있었는데 아무래도
재발이 된 것이 아닌가 싶다.
족저근막염은 걷지 않는 것이 답이라 하여 전날 밤
발바닥에 파스 여러 장 붙였고 아침이 되어도 욱신거려
휴일의 오전을 온전히 쉬었다.
오후가 되어 반찬 몇 가지를 첫째 손녀딸 편에 만들어 보내
려고 밑반찬 순서를 정해 마트에 다녀왔다.
첫째 손녀딸은 제주에 사는 16세 손녀 딸랑구다.
지난 화요일 제주에서 쌍꺼풀 시술하기 위해 둘째 딸아이
집에 있기로 하고 다음 날 시술을 끝내고 며칠을 또 머무르
다 다가오는 일요일 아침에 간다고 하여 밑반찬 몇 가지
해서 보낼 참이다.
마트에서 구입한 식재료들을 손질하여 메추리알 장조림,
봄동 무침, 오징어채 볶고 새송이버섯, 장조림, 시래기 들깨
된장국 끓여 식혀 냉장고에 보관해 놓고 연락하여 내일 아침
제주로 돌아가는 손녀 딸내미 시간에 맞춰 둘째 딸내미 집으
로 가져다주기로 했다.
밑반찬 만들기를 끝내고 나니 이놈에 발바닥 뒤꿈치가
신경 좀 써 달라고 욱신거린다.
몇 시간 남지 않은 오후 발뒤꿈치 최소한 눌리지 않게

까치발 걷기를 반복하다 2 월의 세 번째 휴일의 하루도
저물어 간다.

-2023.02.18. 휴일에-

<저수지의 물오리>

바람 불어도 좋은 날

한주가 시작되는 월요일.
일터로 근무하러 가는 사람들처럼 나도 늘 그러하듯 산을
향해 들어서 본다.
머리카락 사이로 세찬 바람이 마구 들어와 미친 아낙네처럼
형클어진 머리를 연신 쓸어내리며 걷는 산행.
이런 쌀쌀한 봄을 만나도 좋다.
매서운 칼바람에 부대껴도 좋다.
봄이 오니 여기저기서 고로쇠 물 받는다고 떠들어 댄다.
이리 살아 있으니 나도 자작나무 천공작업을 해볼까.
올봄부턴 나무들 수액 받아 마시지 않겠다고 지난해 수액을
받고 재고로 남은 물건들을 남김없이 싸그리 버렸는데
이렇게 봄을 만나니 지난 아픈 여름날은 까맣게 잊어버렸다.
사람이 참 간사하다는 말은 오늘 나를 두고 하는 말인 것
같다.

-2023.02.20. 간사한 나를 보는 날-

<청노루귀꽃>

<제비꽃>

2월을 보낸다

저무는 하루의 끝자락에서 2월을 가리키는 한 장 남은
달력이 머뭇거리고 서 있다.
벽에 걸린 2월의 마지막 달력 한 장은 나의 손을 빌려
잘 가란 인사 한마디 보태며 떼어 보내고 내 인생 2월의
마지막 하루는 멈춰 세울 수 있는 뾰족한 방법이 내게 없고
흘러가 버리면 다시 오지 않는 세월에 나를 보낸다.
가만히 있어도 점점 짧아지는 시간들.
내가 존재할 수 있는 나머지 시간들은 잘 살아 내려고
애쓰지도 노력하지도 않을란다.
욕심을 부리지 않는 오늘만 살란다.
어제처럼...

-2023.02.28. 이월의 마지막 날에-

고삐 풀린 봄

봄기운이 감돌아 두터운 등산복은 벗어던지고 꽃분홍
아웃도어 자켓으로 갈아입고 동네산을 향에 집을 나섰다.
산 능선길엔 세찬 바람이 양볼을 연방 때려 뺨 맞은 것처럼
얼얼한데 휘청거리는 고사된 나무 붙잡고 따따닥딱 찍어대는
딱따구리의 요란한 소리는 봄을 부르느라 바쁘다.

한날에 날씨가 이리 변화무쌍하는 것이 봄은 고삐 풀린
망아지처럼 날뛰며 오기도 하나 보다.

-2023.03.02. 춥던 날에-

병원 외래 13회차

35일 만에 병원 외래 13회차 다녀왔다.
순서대로 채혈하고 심전도, 엑스레이 찍고 담당의 진료 중에
염려되는 폐에 물도 차지 않으며 백혈구, 적혈구, 혈소판,
빈혈 등 이상 소견 없이 정상치 가까이에 머물러 있어
염려하지 말라하고 한 달 후엔 혈액 암세포수가 몇 퍼센트
남아 있는지 유전자 검사하기로 하고 진료가 끝이 났다.
지난 35일 동안에도 별 이상 없이 음식도 적절하게 먹고
운동도 만보 이상 걸어 산행하며 몸무게도 큰 변화 없이
63킬로 찍으며 잘 지내고 있다.
아프기 전에도 봄이 되면 입맛이 없었지만 항암제
때문인지는 잘 모르겠지만 모든 음식들의 맛을 몰라 잘 먹지
않은 것 말고는 변함없는 일상생활을 하고 있다.

-2023.03.08. 병원에 다녀온 날에-

올괴불나무에 꽃이 피었다

새봄 숲에서 가장 빠르게 꽃을 피우는 올괴불나무에 꽃이
피었다.
연분홍 수줍은 작은 아가들처럼 가지 끝에 올망졸망 매어
달린 앙증맞은 꽃들이 이루 다 말할 수 없이 이쁘다.
부지런해야 자세히 들여다보아야 볼 수 있는 애기 꽃들을
산행길 위에서 올봄 처음으로 만나니 반가움이 더욱
가득하다.

-2023.03.10. 올괴불나무 꽃 만나던 날에-

<올괴불나무 꽃>

자작나무 숲에서

나 살겠다고 내 건강을 지키겠다고 자동차 소리 들리지 않은
자작나무 숲을 찾아 전동드릴을 사용하여 자작나무에
두 개의 구멍을 뚫고 수액들이 가득 차기를 바라며 호수에
비닐봉지를 연결하여 전 날에 설치작업 완료했다.
하루 지난 오늘 이른 아침부터 봄비가 부슬부슬 내려
우비를 걸쳐 입고 산허리까지 덮은 자욱한 안개를 가르며
자작나무 숲에 도착하여 살피니 수액이 많이도 나왔다.
나 살겠다고 자작나무에 상처를 내어 미안한 마음 애써
감추며 페트병에 수액들을 모아 배낭에 넣고 열흘간 수액을
내어 줄 것을 자작나무에 부탁하며 숲을 빠져나왔다.

-2023.03.12. 자작나무 숲에서-

<자작나무 수액>

생강나무도 꽃을 피웠다

봄의 전령사 생강나무도 노오란 꽃을 피웠다.
산길 위에 끊이지 않고 즐비하게 늘어선 생강나무들은
가지마다 몽실몽실 노랑꽃들 뭉쳐 푸짐하게 꽃을 피워
숲을 가득히 채우고 헐떡이며 오르는 산행길에
나의 시선을 끌며 발목을 붙잡는다.
며칠간 부지런히 자작나무 수액을 받으러 가야 해서
마음도 몸뚱이도 바빠 머무를 수가 없는데 어쩐다냐.

-2023.03.15. 생강나무꽃 길 위에서-

<생강나무 꽃>

둘째 딸내미가 집을 샀다

둘째 딸내미가 결혼한 지 12년 되는 해.
오늘 아파트를 구입하여 이사를 하여 옆지기와 함께 살아갈
집을 들여다보며 축하한다. 수고했다. 둘이 열심히 성실히
살아온 결실이 집을 통해 보이기에 폭풍 칭찬을 아끼고 싶지
않았다.
어제도 그리고 오늘도 산행을 하면서 늘 바라고 바랬다.
머잖아 주택을 구입하는 기쁜 날이 오기를 시간이 흐르고
세월이 가고 이리 좋은 날이 온 것이 참으로 좋다.

딸아, 앞으로도 살아가면서 좋은 일들이 생기면 더욱
즐거워하고 때론 곤란한 일들이 생긴다면 조급히 문제를
해결하려고 서두르지 말고 한 걸음 뒤로 물러서서 잘 살피고
현명하게 판단하며 잘 살기를 또한 바란다.

-2023.03.16. 둘째 딸 이사한 날-

우리 집에 봄이 들어왔다

연이틀 쉬엄쉬엄 방안에 연둣빛으로 물이든 벽지로 도배를
하고 베란다와 다용도실에 하얀색으로 페인트칠을 했다.
도배와 페인트칠을 하면서 짬짬이 틈을 타 전날 산에 가서
생강나무 꽃과 가지를 잘라 온 것을 깨끗이 씻고 찜기에
넣고 한 김 쏘여 소독을 하고 초미세먼지가 심하여 봄볕에
내어 놓지 못하고 전기 건조기에 올려 말리는데 꽃향기가
온 집안을 휘젓고 다녀 정신이 몽롱하다.

봄은 산과 들판에서만 오는 것이 아니라 우리 집 안에서
꽃향기로 화사한 벽지로 하얀 페인트칠한 베란다로
봄은 도장을 찍고 다닌다.

-2023.03.20. 도배, 페인트칠한 날에-

<생강나무 꽃>

머위순 산행

경기도 일동에 사는 지인께서 앞산에 어린 머위순이
올라왔나 산행할 겸 가자는 문자를 받고 약속된 장소로
큰 배낭을 꾸려 달려갔다.
봄이 되면 각종 산나물보다 먼저 올라오는 어린 머위순은
최고의 항암식품이자 해독제라고 하여 머위순이 많이 나와
있기를 설레는 마음으로 도착하여 지인과 함께 산행길에
올랐다.
속닥속닥 지인과 약초 이야기, 쑥덕쑥덕 산나물 이야기하며
오르던 산 길에 노랗게 물들인 생강나무 꽃들과 아리따운
진분홍 꽃 달고 마중한 진달래들과 두 눈이 마주칠 때마다
웃다 걷다 어린 머위순 군락지에 도착했다.
고개 들어 빵긋 웃는 듯한 어린 머위순들이 꽃들 못지않게
참으로 이쁘다.
배낭을 풀어 제쳐 놓고 미안하다만 오늘은 너희로 정했다.
나와 우리 집으로 가자.

-2023.03.22. 머위 뜯은 날에...-

＜머위순＞

진달래꽃이 피었습니다

완연한 봄날 곱디고운 분홍빛 진달래꽃들이 온 산에
만발하게 피어 봄바람에 춤을 추는 모습이 장관이다.
산길을 한 걸음 한 걸음 오를 때마다 즐거운 감탄이 탄성이
입 밖으로 터져 나온다.
가수 마야의 당찬 진달래꽃 노래가 생각이 나 흥얼거리다
숨이 턱밑까지 차올라 헐떡거리며 오르던 산행 발걸음을
세워 오늘만큼은 천천히 가자 달래도 본다.

-2023.03.23. 진달래꽃 산행-

<진달래꽃>

화단에서

엊그제 아파트 화단에 연초록 더덕 새순들이 여기저기
새로이 돋더니 오늘 아침엔 한 뼘씩 자라 올라섰다.
새순들을 보노라니 어느 꽃들과 비교할 대상이 없을 만큼
참 이쁘다.
머잖아 봄이 가득 찬 사월의 뜨락에 잎사귀들이 품어 내는
더덕들의 향기가 진동하겠군...

-2023.03.29. 화단에서-

새순들의 세상

완연한 봄안으로 들어가는 산 길에 참나무 녀석들의
마른 가지 끝에 어제보다 훅 자란 연초록빛 아가 새순들이
앙증맞게 돋아나 어느 꽃잎보다 이쁘기가 짝이 없다.

-2023.03.30. 산길 위에서...-

<우산나물>

봄을 식탁 위에 올렸다

봄산에서 가장 먼저 화살나무 가지에 돋아난 새순을
홑잎이라 부른다.
동네산 한 바퀴 돌아치고 하산길에 다래나무 수액 3병 받아
등에 지고 홑잎 새순 한 줌 채취하여 봄을 맛보려고
화살나무 군락이 이루고 있는 곳으로 발길을 돌려 도착했다.

그곳엔 먼저 온 선객들이 홑잎나물들을 열심히 따고 있는데
놀랠까 봐 헛기침을 해보아도 나 따윈 관심 밖이다.
에라 나 또한 관심 밖이다.
나도 화살나무 한 그루 부여잡고 부지런히 손을 써서
홑잎을 따다 데치고 조물조물 무쳐 저녁 식탁엔 봄을 올려
볼란다...

-2023.03.30. 홑잎나물 따던 날에-

<단풍취>

3월을 보낸다

3월의 마지막 날 31일이다.
한 달간 참 바쁘게 살아 냈다.
3월 초 자작나무 수액으로 시작하여 박달나무 수액
오늘 마지막으로 참다래나무 수액을 받았다.
매일 3시간가량 산행을 하며 6리터의 빈 물통을 배낭에
넣고 산을 오르고 하산길엔 빈 물통에 나무 수액들을 가득
채워 집으로 고고씽하며 고단한 3월의 수액 산행이 끝이
났다.

아프기 전엔 나를 뒷전에 두고 살아왔다면 투병 중의 지금은
당장 죽지 않을 거면 투병 중이라는 딱지를 떼어 보려고
더욱 건강한 나무들 수액을 마시고 혈액에 좋은 음식들을
찾아 섭취하고 건강해져야겠다는 생각에 오롯이 내게 집중을
해야만 했다.
다가오는 4월 5일은 병원에 내원하여 기본검사 외에 유전자
검사, 소변 검사가 추가 예약이 되어 있지만 어떤 결과가
나오든 간에 받아들일 것이다.
다가오는 4월 한 달 간도 매일은 아니지만 몸이 피곤치
않게 다독이며 때를 맞추어 각종 산나물로 또다시 바쁘게
산, 들을 돌아치며 항암제를 손에서 버리는 날이 오기까지
내게 더욱 집중하여 건강을 지키고 훗날에 나와 같은 이를

만나거든 아무렇지 않게 나의 이야기를 풀어 놓을 수 있게
지혜롭게 살아내 볼란다.
올봄도 나와 함께한 절대적 친구 산과 나무들에게 그리고
3월의 마지막 날에 박수를 보낸다.

-2023.03.31. 삼월의 마지막 날에-

<다래수액>

봄에 취하다

봄산에는 하얀 산 벚꽃이 만발하게 피었다.
산 벚꽃에게 산이 온전히 점령을 당해 봄에 취하다.
꽃에 취하다.

-2023.04.01. 봄산에서-

<배꽃>

원추리 산나물 뜯다

산나무들에 새순이 순서를 추월하고 서로 앞다투어 움을
틔워내어 산나물 뜯는데 늦을 세라 배낭을 꾸려 집을
나섰다.
산 초입에서 지인을 만나 산나물이 많은 곳을 정하고
한참을 올라 목적지에 도착하니 아직 이르다.
나무에 새순은 빠르지만 산나물은 아직이다.
손아귀에 들어오질 않을 만큼 작아 며칠 후에 다시 오기로
하고 나물 산행을 접는다.
오르는 길에 산에서 제일 먼저 나오는 원추리나물이 간간이
보이지만 별로 좋아하지 않아 지나쳤는데 하산 길에 아쉬운
대로 한 줌만 따다가 초무침 만들어 봄의 맛을 봐야겠다.
봄 나무들이 서두르니 나도 덩달아 날뛰던 것이 우습다.
좋아하는 나물에만 집중하여 오르더니 무시하고 지나친
원추리나물에 손을 갖다 대는 내가 참으로 우습다.

-2023.04.03. 나물 산행하던 날에-

병원 외래 14 회차

밤부터 아침이 되기까지 비가 내린다.
이른 아침 단비를 뚫고 예약된 병원에 가려고 옆지기와
6 시 30 분에 집을 나섰다.
지난 22 년 7 월 중순 몸이 좋지 않아 병원 입원 중에
만성골수성백혈병 또는 혈액암이라는 병명을 듣고
멍 때린다는 표현이 이런 말을 들을 때 쓰는구나 싶었다.
정신을 차리고 나니 내게 화가 치밀었다.
거칠고 기름진 음식보다 나름 산으로 들로 돌아치며
건강한 먹거리 찾아서 먹은 내 몸뚱이의 배신에 화가 많이
났다. 나 자신에 화가 너무 치밀어 올라 병실에서 이틀을
음식을 먹지 않고 누워 병실 천장만 쳐다보며 헛웃음만 짓다
시간이 흐른 뒤에 화가 조금 누그러져 나를 돌아본다.
몸 안에서 혈관을 타고 떠다니는 혈액 속 암세포들이 내게
오기까지 시시 때때 여러 증상들이 나타났겠지만 인지하지
못한 무지한 나를 자책하며 앞으로 어찌 살기보단
나를 포기하는 쪽을 택하다 보니 체중이 급격하게 빠져
창백한 얼굴로 19 일 만에 병실에서 나와 22 년 8 월 초
퇴원 수속 마치고 담당의 면담하고 가라고 하여 찾아갔더니
입원하여 퇴원하는 날까지 진행된 상황들의 설명이 이어진
다. 처음 골수검사에선 혈액에 암세포가 90 퍼센트 떠다녀서
당장 사망해도 의심할 여지가 없었는데 항암약이 적중하게
잘 맞아 일주일 후 혈액검사엔 60 퍼센트 떨어졌고

몸 안에 모든 장기들이 건강 튼튼하여 잘 이겨 내기도 약에
대한 부작용도 없어 회복기가 탁월하게 빨라 30 퍼센트 떨어
져 퇴원하는 것이니 집에 가서도 긍정적으로 생활하다가
일주일 후에 보자 하시며 열심히 설명을 하시는데 귓등으로
듣는 둥 마는 둥 두 눈만 깜빡 거리다 옆지기 손에 이끌려
병원을 나왔다.
그 당시엔 90... 60... 30 퍼센트도 알고 싶지도 않았다.
그냥 하루빨리 이 세상에서 사라지고만 싶었다.
19 일 만에 집에 돌아와 베란다 창문 틀에 기대어 동네산을
바라보며 사계절 20 년을 넘게 한결같이 오르내리던
산과 나무에 작별을 하려면 산에 가야 하는데 핏기 없는
몰골로 갈 힘이 없어 하염없이 창문 틀에 기대어 서서
어린아이들도 병으로 사고로 이 세상을 떠나기도 하는데
나는 61 년을 살았으니 괜찮다.
딸내미들도 결혼해서 잘 살고 옆지기도 깔끔하여 혼자서도
잘 살겠지... 내 인생 여기까지 인가 싶기도 한바탕 울고는
싶은데 눈물이 나오질 않는 황당함.
옆지기는 나를 지켜보느라 백발이 되었다.
인생무상 인생사 덧없다...
그렇게 하루 지나 이틀이 되고 일주일을 보내고 서야 병원에
가야 하는 날이 왔다.
몇 주간은 1 주일 간격으로 내원하다 회복 속도가 좋다며
2 주일 간격으로 오라 한다.

이리 그리 살다 보니 몸뚱이도 살이 붙고 산에도 갈 수 있는
힘도 생겨 동네산을 조금씩 오르내리기를 반복하다가
정상에 서기까지 몇 날 며칠이 걸렸다.
그렇게 산을 오르다 보니 화도 차츰 누그러지고 생각도
긍정으로 바뀌어 지금은 아무 일도 없었던 것처럼 살고 있으
며 한 달에 1번 내원하여 별 이상 없음을 확인하고
담당의께서 0 퍼센트 될 때까지 노력하자 하시며 항암제도
바꾸어 복용했다.

9 개월이 지난 지금의 나의 상태는 육안으로 볼 땐 아무런
증상도 없지만 몸속 혈관에서 일어난 일이라 내가 할 수 있
는 일을 찾자.
시한부가 아닌 투병 중에 있으니 0 퍼센트 나올 때까지
노력은 해야 하지 않을까 싶어 항암제가 독해서인지 음식의
맛도 모르고 간도 못 맞추기가 허다하지만 나름 ABC 주스
만들어 마시고 황산화가 많다는 음식들을 찾아 섭취도 하고
여러 나무들 천공 작업하여 수액도 받아 마시며 빡센 산행보
단 내가 앉아 휴식하다 하산하려고 서있는 자리가 정상이며
이미 산에게 나무들에 말하지 않아도 내가 산에 왔다 가는
날이 마지막 인사라 중얼거리며 몸을 피곤치 않게 사부작
사부작 오르내리는 등산으로 바꾸어 여기까지 살아낸 결과를
오늘 각종 검사도 하고 결과도 보려고 28 일 만에 예약된
병원에 아침 7 시 10 분경에 도착했다.

절차에 따라 수납부터 채혈하고, 유전자 검사, 소변 검사,
심전도 검사하고 영상의학과 들러 엑스레이 찍고 키오스크에
도착 소식까지 입력하고 검사 결과들이 나오기까지 몇 시간
을 기다려야 하기에 한적한 곳을 찾아 휴식을 취하다
몇 시간이 흐른 오전 10시 예약된 시간이 다가와 대기실에
머물다 간호사님의 호명에 담당의 방으로 들어섰다.
28일 만에 담당의와 마주했다. 담당의 설명이 이어진다.
건강관리를 참 잘했다고 하신다.
백혈구, 혈소판, 적혈구, 호중구, 유전자 검사, 엑스레이에 찍
힌 폐, 신장, 심장과 거품이 많이 나와 염려했던 소변 검사,
심전도까지 모두가 정상안에 머물러 있어 걱정하지 않을
만큼 좋다며 앞으로 2개월에 한번 내원하라 하시며 이대로
쭉 가자고 하여 진료가 끝이나 병원을 나섰다.
집으로 오는 길에 내가 제일 좋아하는 음식 문호리 팥죽집에
들러 옆지기랑 팥죽 한 그릇씩 뚝딱 해치우고 비가 와서
차창 밖으로만 볼 수 있었던 양수리 흐드러지게 핀 벚꽃길을
달려 집으로 돌아왔다.
그래, 생과 사에 연연하지 말고 오늘 이대로만 즐겁게
또 살아 내 보자.

-2023.04.05. 병원에 다녀온 날에-

두릅 산행에 나서다

새 생명들의 기운이 약동하는 봄.
산나물은 최고의 해독과 항암에 좋다 하여 어영부영
뭉그적대다 참두릅 채취시기를 놓칠 세라 발 빠르게 움직여
두릅 산행에 나섰다.
산나물의 제왕 참두릅이 나올 만한 비탈진 산길을 정하여
한참을 올라 두루 살피니 하나 둘 참두릅나무에 새순이 돋아
나왔다.
가까이 다가가 코팅된 장갑 낀 손으로 새순을 부여잡고
톡톡 끊어 내는 재미가 쏠쏠하다.
몇 시간을 오르고 내리기를 수차례 반복하며 심심치 않게
보여준 튼실한 녀석들을 간섭해 보는 즐거움도 크다.
휴일을 앞당겨 시기를 잘 맞춰서 온 것은 나에겐 신의 한 수
참두릅은 수난시대를 맞고 있는 셈이다.
시간이 흘러 참두릅이 배낭에 반쯤 채워져 이제 되었다
반기를 들며 하산 길에 여러 산나물로 배낭 가득 채우고
산행이 끝이 났다.

-2023.04.07. 두릅 산행하던 날에-

<두릅>

산나물에 미치다

봄이 되면 산나물에 미쳐 새순이 돋아 나오는 시기에 맞춰
채취하기 위해 며칠간 집을 오가며 산행을 감행했다.
산나물은 최고의 해독제요. 최고의 항암제라 한다.
지난해까지는 그냥 산나물이 좋아서 채취하여 가족들과
나누고 먹는 즐거움에 그쳤다면 올봄 산나물은 즐거움에
그치는 것이 아니라 나의 혈액 속에 떠다니는 암세포 치료에
보탬이 되었으면 좋겠다는 생각에 산나물 산행을 하고자
한다.

나 홀로 산나물이 많이 나오는 깊은 산에 간다는 것을
바쁜 옆지기가 허락하지 않아 지인과 함께 가기로 하고
동행하여 산나물 산행이 시작되었다.
초입부터 계곡 쪽으로 방향을 잡고 참다래순을 만나
줄기를 잡아당겨 채취도 하고 가시덤불 헤치며
임금님 밥상에 올렸다는 어수리나물도 뜯고 줄지어 나온
더덕순을 발견하여 정신없이 캐낸 더덕 향에 피로를
날리기도 까치발 딛고 어깨를 뻗어 고추나무에 돋아난 순도
뜯고 허리 굽혀 쑥부쟁이나물, 나비모양 닮아 나비나물,
맛 좋은 풀솜대나물, 우산처럼 펴고 있어 우산나물,
여러 산나물을 쉴 새 없이 뜯고 따고 캐고 배낭에 반쯤
채워질 때 지인을 불러 마주 앉아 간식을 나누며 내가
산나물을 몰랐 더라면 뜯고 캐내는 일은 없었을 진데

나 살겠다고 쥐어 뜯은 미안한 마음과 나를 이롭게 해 줄 것을 확신하며 고마운 마음이 교차한다.

간식타임이 끝이 나고 다시 산나물 채취에 나서며 산을 반 바퀴 돌아치고서야 하산길로 방향을 바꾸어 무리하지 않는 3 시간을 정하고 며칠간 산나물 산행을 마쳤다.

-2023.04.13. 산나물 산행 마치며-

연이틀 산나물 산행하다

사월이 되어 봄비가 자주 내리더니 하루가 다르게 온 산이
연두색으로 바뀌어 간다.
날마다 탈바꿈하는 봄의 변신 앞에서 산나물도 채취하는
적기이기에 휴일인데도 연이틀 산나물과 두릅을 염두에 두고
지인 몇 분과 산나물 산행에 나섰다.
산에 올라 계곡을 넘나들다 산비탈을 오르내리기도 가시덤불
속 같은 험지를 두루 누비며 몇 시간을 발품 팔아 얻은
여러 가지 산나물을 각자 짊어진 배낭에 가득 채우고
즐거운 걸음으로 하산하여 집에 돌아와 봄 향기 품은
참두릅을 데쳐 한 접시 만들고 향긋한 산나물을 데쳐 집간장
넣고 조물조물 무쳐 저녁 식탁 위에 올려 옆지기와 눈도
입도 호강하며 고단한 휴일의 하루를 내려놓는다.

-2023.04.15.16. 산나물 산행하다-

오늘은 더덕 산행이다

산나물 산행을 하다 하루 휴식을 한 후 지인들과 더덕
산행하기로 했다.
일기예보에 비가 들어 있지 않았는데 새벽녘부터 이슬비가
내린다.
더덕 산행은 비 오면 미끄러워서 낭패다.
쉴 새 없이 애꿎은 창문만 열어젖히다 지인들과 약속 시간이
다가오니 다행히 이슬비가 그쳐 산행하기로 하고 산초입에서
안전 산행을 우선시하라 당부하고 더덕 산행이 시작되었다.

얼마쯤 산에 오르니 더덕들이 하나둘 보이기에 지인들께
사부작사부작 오르내리며 주변을 자세히 보고 더덕을 찾아
채취하시라 하고 나도 곡괭이를 이용하여 더덕을 캐내어
배낭 속으로 연신 밀어 넣었다.
그렇게 몇 차례 더덕이 나올 만한 곳으로 이동하다.
쉴만한 곳에 앉아 준비해 간 산나물 김밥과 과일을 나누어
먹고 진한 더덕 향기 폴폴 날리는 5시간의 산행이 끝이
났다.

-2023.04.20. 더덕 산행하던 날에-

<산더덕순>

아무것도 하지 않을란다

창문 밖 백목련 꽃들이 한 잎 두 잎 봄바람 타고 여행을
떠나고 푸르는 새순들이 선을 보이려 내미는 봄.
비가 내린 다음날의 아침은 하늘땅 모두가 청명하다.

산에 가면 나무에 메어 달린 잎사귀들도 저리 청명할 진데
전날에 비가 오는데도 약속이 된 더덕 산행을 길게 잡아
돌아쳤기에 오늘 산행은 쉼으로 몸뚱이 내려놓고 누워
아무것도 하지 않을란다.

-2023.04.21. 아무것도 하지 않은 날에-

<배꽃>

산나물 주먹밥을 먹다

올봄 산나물 산더덕 산행이 끝이 나고 종일 쉼을 찍고
모든 것을 내려놓고 쉬었다.
저녁밥 때가 되어 식탁에 산나물을 올려 많이 먹어보려고
번거로운 산나물 김밥은 뒤로하고 간편하게 산나물
주먹밥으로 정했다.
압력밥솥에 흰쌀밥을 한소끔 짓고 양푼에 퍼서 식으라 놓아
두고 데쳐 놓은 산나물의 향을 살리기 위해 최소한의 양념
집간장, 통깨, 들기름을 넣고 다지고 조물조물 무쳐서 양푼에
담긴 흰 쌀밥과 산나물을 반반 합하여 비닐장갑을 양손에
끼고 섞어 동글동글 동그랗게 만들어진 산나물 주먹밥을
식탁에 올렸다.
옆지기를 불러 마주 앉아 서로 웃어 보이며 맛을 보시라
산나물 주먹밥 한 접시를 내밀었다.
이젠 봄을 담은 산나물 주먹밥을 맛볼 차례다.

-2023.04.21. 산나물 주먹밥을 먹다-

<산나물 주먹밥>

비가 내린다

낮부터 비가 내린다.
가뭄으로 기다리던 단비라서 차분하게 맞이한다.
참 즐거웠던 4월 온 산에 어여쁜 꽃들이 가득히 머무르다
지나간 자리에 나무들이 새순들을 달고 나와 아름답기가
짝이 없었던 봄.
각종 산나물 나오는 시기에 맞춰 따다가 눈과 입도 호사를
누렸던 더없이 즐겁던 4월의 봄날이 봄비 따라 지나가고
있다.

-2023.04.25. 비 오는 날에-

<각시붓꽃>

열무 얼갈이 자박김치를 담다

전날에 주문한 무농약 열무와 얼갈이가 단비가 내리는 오늘 도착을 했다.

봄엔 열무에 어린 얼갈이배추를 넣은 김치가 딱이지 싶다.

박스를 개봉하여 열무 2단, 얼갈이 2단 꺼내어 손질하고 씻어 소금물을 풀어 담가 놓고 전날에 마트에서 구입하여 냉장 보관을 한 쪽파, 양파, 홍고추 손질하여 고명으로 어슷썰기 해 놓고 덜어낸 양파, 홍고추 썰어 믹서에 넣고 휘리릭 돌려 양푼에 쏟아붓고 찹쌀죽 쑤어 액젓, 새우젓 넣고 한 번 더 휘리릭 돌려 양푼에 합쳐 고춧가루 넣어 고명으로 썰어 놓은 채소들을 섞어 간을 맞추고 2시간이 지난 열무 얼갈이를 소금물에서 건져내어 여러 번 씻어 양념들과 합하여 국물이 자작하게 버무렸다.

간도 합격!

맛도 합격!

그래! 열무 얼갈이 자박이 김치는 이 맛이다.

한 이틀 숙성시켜 맛이 두 배가 되면 가까이 사는 둘째, 셋째 딸내미 집에 다녀와야겠다.

-2023.04.25. 봄김치 담는 날에-

<열무 얼갈이 자박김치>

두릅 소고기말이

오늘은 산채의 제왕 참두릅, 땅두릅, 개두릅 순으로
소고기말이를 해 볼 참이다.
향으로 맛으로 영양과 약성으로 손색들이 없는 산채의
제왕들로 멋을 내어 보련다.
어느 글쟁이는 잔인한 사월이라지만 내겐 신이 나고 즐거운
사월에 두릅 삼총사 새순이 나오는 시기에 따라 산을 돌아
치며 채취하고 데쳐서 냉동 보관한 산채의 제왕들을 꺼내어
해동을 하여 도마 위에 모아 놓았다.
제왕들을 한 움큼씩 물기를 꾹 짜고 슴슴하게 밑간하고
소고기를 한 장씩 펼쳐 후추, 전분 뿌리고 두릅들 차례로
올려 돌돌 말아 팬에 노릇하게 굴리면서 익혀 접시에
가지런히 담아 통깨 뿌려 마무리했다.
산행길 위에서 내 손에 목덜미 잡혀 끌려온 산채의 제왕들이
우리 집 식탁 위에서 마감했다.

너희는 나를 만나 잔인한 사월이 되고,
나는 너희를 만나 즐거운 사월이 되었다.
잠시 사월의 새순들에 묵념을...
미안하다. 고맙다.

-2023.04.27. 묵념의 시간-

산나물을 무치다

언제부터였나 가물가물하다.
숲을 나무를 새순들의 효능을 알고 봄이 되면 나와
가족들에게 산나물들을 따다 맛을 보게 하려고 힘들지만
산속에 있는 날이 많았다.
사월의 봄날엔 초순부터 하순까지 산나물들이 나오는 시기가
다르기에 20일간 간간이 쉬며 부지런 떨기도 하며
이산 저산 발품 팔아 돌아친다.
산나물도 여러 가지 합쳐야 맛도 배가 되기에 채취하는 대로
손질하여 데쳐서 김치냉장고에 보관하다가 산나물이 모여
지면 섞어서 한 움큼씩 24봉지들을 만들어 냉동고 저장에
들어가 일 년을 먹을 수 있게 준비해 둔다.
산나물 따다가 다듬을 때 한 가지로만 맛을 내는 참두릅,
엄나무순, 땅두릅, 당귀순, 어수리, 잔대순, 풀솜대나물은
따로 삶고 냉동 보관하여 명절에 꺼내 가족들과 먹는다.
산나물 산행이 끝이 나고 며칠 휴식을 하고 오늘은 오랜만에
딸내미들 얼굴 보며 안부도 묻고 무쳐낸 산나물들 맛보게
하려고 김치냉장고에 보관해 둔 나물들을 꺼낸다.
여기서 산나물들을 20가지 이상 합친 것이고 산나물 2봉지,
당귀순 2봉지, 어수리 2봉지, 풀솜대 2봉지, 잔대순 2봉지
각각 꺼내어 물기 있게 자박하게 짜고 최소한의 양념만 넣고
치대며 무쳐냈다.

임금님 밥상에 올렸다는 어수리나물은 은은한 한약 냄새가
나며 맛이 순하며 참 맛있다.
개인적으로 제일 좋아하는 산당귀순은 향도 맛도 일품이다.
잔대순은 슴슴하면서도 깔끔한 맛이다.
풀솜대는 지장보살 나물로 더 알려지며 달큼하면서 맛있다.
20가지 이상 합쳐진 산나물은 오묘한 맛들을 내어 맛있다.
각각 본의 특색에 맞게 맛을 내는 산나물에 고마움을
느낀다.

-2023.04.27. 산나물을 무치다-

<두릅 소고기말이>

<산나물 무침>

호되게 아프고 나니

호되게 아프고 나니 아프기 전과 아프고 난 후의 생각이
많이 달라진다.
어제의 나의 하루는 그냥 주어진 삶을 살아내면 되었는데
오늘의 나의 하루는 그냥이 아닌 내일이 없는 것처럼
살아간다.
지난봄에도 그러했듯 올봄에도 두릅 삼총사 소고기말이를
하여 그릇에 정갈하게 담고 몇 가지 산나물을 향을 살려
슴슴하게 무쳐 그릇에 담아 통깨로 고명을 얹고
이틀 전에 담아 숙성에 들어간 열무 얼갈이 배추 자박이
김치가 시원하게 맛있게 익어 김치통에 덜어 담고
둘째 딸내미, 막내 딸내미 집에 다녀올 준비를 끝냈다.
지난해까지는 봄산에 돌아치며 두릅과 산나물순을 따다가
딸내미네 식구들에 봄이 담긴 산나물 맛을 보이려고
다녔는데 올봄엔 산나물을 따면서도 이번이 마지막인가...
내 손을 거쳐 정성껏 음식들을 만들면서 이번이 마지막인가...
좀 서글프기도 괜스레 마음이 뭉클 해지기도 하지만 생각을
안 할 수 없다.
나는 지금 백혈병 투병 중이다.
둘째 딸내미 집에 들러 열무 얼갈이 김치와 산나물들,
두릅 소고기말이를 식탁에 놓고 돌아서면서도 막내 딸내미
퇴근 시간에 맞춰 만나서 전해주고 집으로 오면서도 이번이
마지막인가...

멀리 제주도에 사는 큰 딸내미네 식구들에겐 반찬이다 보니
택배가 원활하지 못해 산나물과 두릅전을 맛 보여 줄 수
없어 아쉽지만 어쩔 수 없는 일이지 싶다.
병명을 잊고 산다고는 하지만 때때로 무시할 수도 없어
마음의 준비도 해야 하는 거라고 틈틈이 중얼거리는 버릇도
생겼다.
오늘처럼.

-2023.04.27. 음...-

4월의 마지막 날에

4월의 마지막 날 산에 나무에 안부를 물으려 아침을 먹고
발걸음 재촉하여 산으로 들어섰다.
산은 이미 연초록으로 물들어 있고 전날에 흠뻑 내린 비에
젖은 참나무 잎사귀들이 물방울들을 떨어내느라 부는 바람에
맡겨져 좌우로 한들거림도 예쁘다.
흙먼지 풀풀 날렸던 산길도 촉촉이 젖어 산행하기가 겁나게
좋다.
나무에 일방적으로 말을 걸며 걷다 보니 몇몇 깔딱 고개를
넘나들면서도 힘든지 모르고 관음봉 정상 턱밑까지 왔다.
정상 턱밑엔 아리따운 연분홍 치마를 연상케 하는 산철쭉
꽃들이 만발하게 피었다.
높은 곳까지 올라서야 볼 수 있는 연분홍 꽃들에 홀려
산 정상에 어찌 도착했는지도 모르겠다.
봄날에 산 중심부 골짜기까지만 수액을 받아 마신다고
들락거리고 먼 곳까지 산나물이 많이 나오는 산을 찾아
집과 산을 오고 가며 돌아치느라 소홀했던 관음봉 정상엔
두 달 만에 올랐다. 비 갠 다음날이라 앞으론 백봉산 옆으론
멀리 서울 남산까지 사방으로 조망권이 확 트여 마음속까지
시원하다.
배낭을 풀어 데크에 걸어 두고 두 팔을 벌려 이보다 더 좋을
순 없는 거다.

홀로 외치다.
4월의 마지막 날을 산 정상에 서 있음이 허벌나게 좋다.

-2023.04.30. 정상에서-

<산철쭉>

오월의 계획

계절의 여왕 오월이 시작되었다.
오월이 되면 꽃이 피는 시기를 맞추고 계획을 세워야만
만나는 녀석이 있다. 집에서 그리 멀지는 않지만 높은 산에
있는 복주머니란(개불알) 꽃이다.
보호종이라 산 이름을 말할 수도 집에서 키울 수도 없어
해마다 카메라에 담아서만 온다.
때가 적절하게 맞아떨어져 복주머니란이 꽃을 피울 때면
어찌나 복스럽고 예쁜지 헐떡이며 높은 산을 올랐던 것을
탓하지 않을 만큼 즐겁게 하는 녀석들이다.
산 반대편 하산길을 잡아 험지를 내려보면 어느 외딴 집
한 채를 진치고 지키는 탱자나무는 날카로운 가시들을
세우고 미안한지 순백의 꽃을 피워내 은은한 향기 날린다.
올봄도 그 탱자나무가 꽃이 피기를 기대해 보며 그곳 높은
산에 가기 위해 오월의 계획에 첫 번째로 적어 올려 보며
내게 새로이 찾아온 오월, 이 오월의 영토에서 또다시
즐겁게 살아 볼란다.

-2023.05.01. 오월의 첫날에-

<복주머니란>

신록의 숲속으로

오월은 순우리말로 '푸른 달'이라고 한다.
산과 들 온통 나라 안팎으로 푸른 세상.
오월엔 나만이 아닌 세상 모든 이들이 행복해졌으면 한다.
오늘도 나는 신록이 멋진 나만의 세상 숲의 들머리에
서 있다.

-2023.05.02. 신록의 계절 숲에서-

<동네산 안개 자욱한 산길>

은행나무

오월 창문 밖 은행나무가 새순들을 달고 나온 지 얼마 되지
않았다.
4층에 사는 우리 집 작은방 창문을 열어 두면 들어오고도
남을 만큼 키도 가지도 길게 뻗었다.
나뭇가지에 새순을 올릴 때면 갓난 아가들의 앙증맞은
손처럼 얼마나 예쁜지 잎사귀들이 모양 빠지게 커져도 매일
아침이 되면 창문을 열어젖히고 서로 인사를 하고 아침밥
준비하러 주방으로 건너가면 나뭇가지를 길게 뻗어 작은방을
기웃거리기에 사계절 하루에 몇 번이라도 염탐하라고 창문을
열어 둔다.
그런 은행나무가 지난 한밤에 가지들이 부러지고 잎사귀들을
무수히 떨어내는 일이 생겼다.
어린이날 연휴 전날부터 종일 비가 내리더니 한밤엔 창문을
두드리는 요란한 소리에 무슨 일인가 잠에서 깨어 창문을
열어보니 세찬 비바람이 밀고 들어와 서둘러 창문을 닫고
아침이 오기를 기다렸다.
시간이 흘러 아침이 밝았는데도 누그러지지 않는 비바람을
아랑곳하지 않고 창문을 열어젖히니 한밤에 생뚱맞은 역대급
태풍이 비바람을 몰고 와 피해를 입혔다.
밤새 얼마나 휘둘렸는지 현기증을 넘어 떡실신할 지경이다.
태풍이 어서 지나가기를 창문을 연방 여닫기를 얼마나
했을까 오후가 되어 비도 바람도 서서히 물러선다.

막간에 봄의 시샘이 유난도 하다.
바라보는 은행나무가 참담하다.
우리 작은방을 수시로 염탐하던 은행나무 가지가 부러져
대롱대롱 매달려 있는 것을 두고 볼 수 없어 내 손을 뻗어
닿는 만큼 붙잡고 톱으로 잘라내어 작별하고 생존한
나뭇가지는 빨리 커서 우리 집 작은방 창문을 두드리라
일러 둔다.

-2023.05.06. 은행나무 바라보다-

<창문 밖 은행나무>

산이 초토화되었다

늦봄과 초여름이 공존하는 오월.
역대급 태풍이 지나간 다음 날.
우리 집 창문 밖 은행나무도 실신할 정도였으니 동네산은
어떠할까 싶어 서둘러 아침밥을 밀어 넣고 배낭을 꾸려
산으로 들어갔다.
앞선 빽빽이 들어찬 잣나무 숲은 태풍에 영향을 받지
않았다. 다행이다. 헐떡이며 참나무가 많은 숲에 도착했다.
태풍에 참나무가 쓰러지고 부러지고 가지들은 찢기고
널브러지고 잎사귀들이 떨어져 쌓인 산길은 숲으로 바뀌어
있다.
한마디로 산이 초토화가 된 것이다.
무참히 쓰러진 나무 녀석들을 보니 가슴이 아린다.
산길에 널브러진 작은 나무들은 옮기며 걷고 힘겨운
큰 나무들은 넘어가고 바람이 통하는 골진 곳엔 다다르니
쭉정이만 남은 나무들이 처량도 하다.
그래도 사람에 밟힌 벌목 현장이 아니라서 다행이다.
자연의 밟힌 숲은 곧 회복이 되니 이만하기가 다행이다.
내가 할 수 있는 건 없다. 그저 바라만 볼 뿐이다.
오늘은 바람골까지만 산행하고 옆동네로 하산 길을 잡고
내려오는데 이놈에 옆동네 산은 피해가 없어 다행이지만
반대편 우리 동네산에서 무슨 일이 일어났는지 도통 모르는
것 같이 평온하다.

한참을 내려와 옆동네 산 끝자락을 향해 지나갈 때쯤
키가 큰 참나무 한 그루가 통째로 뽑혀 실신했다.
산행길 오가는 이에 폐를 끼치지 않으려 숲을 향해
쓰러졌다.
밑동을 들여다보니 푸석푸석한 것이 수명을 다해 긴 쉼에
들어갔나 보다.
이 또한 자연의 법칙이라면...

-2023.05.07. 휴일에-

때죽나무 꽃 따러 간다

오늘은 장시간 산행이 아닌 산 초입에서 20분 정도 오르다
보면 골진 곳에 몇 그루 서 있는 때죽나무 꽃을 간섭하러
간다.
용모단정한 소녀 같은 꽃을 보려 설렘으로 산에 들어섰다.
꽃향기 따라 때죽나무 있는 곳까지 단숨에 도착하니 하얀
꽃들이 만발하게 피어 꽃향기는 한층 더 진하게 풍긴다.
배낭 속에 돌돌 말아서 지고 간 돗자리를 때죽나무 밑에
펼치고 앉아 꽃들의 향기를 맡으며 숨을 고른다.
때죽나무 꽃은 작고 앙증맞은 수백 개의 종들을 거꾸로
매달아 놓은 것처럼 나뭇가지에 다소곳이 땅을 향해
떼를 지어 메단 채 꽃을 피운다.
꽃들도 참 이쁘지만 은은하게 퍼지는 꽃향기는 지나가는
이의 걸음을 세울 만큼 좋다.
짧은 쉼을 뒤로하고 양손을 내밀어 어여쁜 꽃들을 따자니
미안하기도 아깝기도 하지만 며칠 후면 희멀겋게 시들어
숲에서 잊히는 것보다 나와 함께 사람 사는 곳에 가지
않겠나 묻지만 답을 듣지 못하니 애써 내 생각에 맞혀
꽃들을 딴다.
때죽나무는 독성이 있어 멀리하고 꽃은 인후염에 좋다기에
꽃에만 집중한다.

꽃들의 향기에 벌들도 개미들도 모여드는 숲.
벌과 개미는 놓아주려고 펼쳐 놓은 돗자리 위에 꽃들을 따서
펼쳐 놓는다.
햇살이 가득한 오월의 숲.
때죽꽃 따다 모아 놓은 돗자리 위에서
잠시 나도 너희 곤충들도 꽃에 취하고 향기에 취하다.
각자 왔던 대로 돌아갈 준비를 하자.

-2023.05.12. 때죽나무 숲에서-

<때죽나무 꽃>

아카시꽃을 탐하다

집주변에 아카시나무가 꽃송이들을 달고 탐스럽게 피어났다.
아카시꽃도 항염증에 좋다 하여 오늘은 설탕이 들어가
달달한 꽃청보다 술을 부어 마시는 꽃술보다 슴슴하지만
꽃으로 차를 만들어 도움을 받을까 하여 집주변에 손 뻗으면
닿을 만큼 키 작은 녀석들을 뒤로하고 고달프지만 자동차
소리가 들리지 않는 골 깊은 산속을 택하여 망설임 없이
배낭을 메고 숲으로 간다.
아카시나무가 있는 곳에 다다르니 바람이 전하는 익숙한
꽃향기가 진동한다.
하얀 꽃송이가 흐드러지게 핀 키 작은 아카시나무를 찾아
꽃송이들 따서 작은 망태기에 담는 것으로 시작한다.
달달한 아카시 꽃을 탐내는 것은 나뿐만 아니다.
나보다 일찍이 도착한 벌들도 개미들도 꽃 속을 부지런히
들락거린다.
향긋한 꽃송이가 작은 망태기에 가득 채워져 나무를
놓아주고 개미와 벌에게서 멀어졌다.
신록이 우거진 오월의 숲.
말이 서로 통하지 않는 나와 곤충들과 아카시 꽃송이를 두고
빼앗고 지키는 묵언의 싸움.
이 또한 즐겁지 아니한가.

-2023.05.15. 아카시 꽃피는 숲에서-

<아카시꽃>

오이지 담다

무더워지는 여름 밑반찬엔 오이지 만한 것이 없어 오이지를
담아 볼까 하여 집을 나선다.
마트에 도착하니 입구에 가지런히 담긴 오이 한 자루가 눈에
들어온다.
핸드폰을 열어 메모가 된 오이지 재료 살피며 카트에
오이 50 개 한 자루, 설탕, 소주, 식초, 소금 담아 셈을
치르고 집으로 돌아와 오이를 씻어 김치통에 오이 한 줄
깔고 소금 한 줌 뿌리고 식초 한 컵 붓고 소주 반 컵 붓고
설탕 한 줌 뿌리기를 반복하다 마지막 오이 한 줄에 설탕을
탈탈 쏟고 누름돌을 얹고서 끝을 내며 오늘은 오이지 담는
날로 정해본다.

-2023.05.21. 오이지 담는 날에-

산딸나무 꽃을 훔치다

이번 꽃차는 산딸나무다.
옆동네 산 정상 부근에 몇 그루의 나무가 있어 그곳까지
오르려 집을 나선다.
좋은 환경에 자리한 꽃을 찾으려니 멀다 한들 문제라 생각지
않는다.
진초록으로 가득 찬 초여름 오르막 산행길엔 땀을 훔치고
하늘이 빼꼼히 열려 있는 능선길엔 간간이 부는 바람에 땀을
식힌다.
헐떡이며 몇몇 능선을 넘고 서야 눈이 부시게 아름답게 꽃을
피운 순백의 산딸나무 앞에서 걸음을 멈춘다.
나뭇잎 위에 하얗게 내려앉은 모습에 기분이 매우 좋아지는
산딸나무 꽃.
너희를 데려가려고 왔는데 어쩐 다냐...?
배낭을 벗어 산딸나무 아래 놓고 앉아 이쁘지만 너희를
채취해야 내게 이로운 꽃차를 만들기에 갈급하여 무색한
웃음만 짓다 오래 머무를 수 없어 키 작은 나무 한 그루
택하여 나뭇가지에 망태기 걸고 꽃들을 적당히 따고서
끝맺음을 한다.

-2023.05.24. 산딸나무 꽃 따던 날에-

<산딸나무 꽃>

꽃차를 덖다

어제 채취한 힘찬 산딸나무 꽃이 아침이 되어 생기를 잃고
시들어 덖음 하느라 산엔 가지 않기로 한다.
팬을 달구고 종이호일을 팬에 깔고 산딸나무 꽃들을
겹치지 않도록 핀셋으로 들어 팬에 올리고 뚜껑을 덮어
한 김을 올려 향 매김하고 다시 그늘진 곳에서 며칠을
말리면 된다.
작은 꽃들이 부서질까 잎사귀들이 떨어질까 조심스럽게
덖어야 하기에 긴 시간이 필요할 것 같다.
비록 작고 시간은 걸리겠지만 그럼에도 불구하고 덖음을
하고 향 매김에 집안엔 온통 은은한 풀꽃향이 진동하여
참으로 좋다.

-2023.05.25. 꽃차 덖음 하던 날에-

마장호수에 가다

초록이 가득한 초여름 날.
옆동네 산악회에서 파주 감악산 산행을 한다기에 이른 아침
따라나섰는데 전날부터 내린 비가 아침이 되어도 그치지
않고 산행하기엔 비가 복병이라고 방향을 틀어 파주
마장호수에 왔다.
세찬 비가 아니라서 우산을 쓰고 흔들리는 출렁다리를 건너
사방이 야산으로 둘러 진초록으로 물이든 호수 데크길 따라
걸었다.
앞선 지인만 기억하는 얼굴이라서 잠시 헛눈이라도 팔면
놓칠 세라 멀찍이 숲에 핀 붉은 아카시꽃들과 간간이 보이는
산딸나무에 핀 순백의 하얀 꽃들을 번갯불에 콩 구워 먹듯
반짝 쳐다만 볼 뿐 지인 뒷모습만 주시하고 정해준 짧은
시간을 맞추느라 한 바퀴 반을 미친 듯 돌아쳐야만 했다.

-2023.05.28. 마장호수를 돌다-

오월의 하늘

동네산 산행을 마치고 돌아와 작은방 창문을 열어 놓고
누워 있으니 창문의 크기만큼 맑은 하늘이 보인다.
하늘에선 형상이 없는 구름들이 다가와 쉴 새 없이 뭉치고
흩어지기를 반복한다.
은행나무 사이에 걸친 전선 줄에 참새 두 마리가 쉬어 간
자리에 까마귀 한 마리가 앉아 어찌나 시끄럽게 떠들던지
몸뚱이 일으켜 소리치니 놀라서 달아난다.
다시 누웠다.
구름들은 순식간에 사라지고 하늘은 맑은 호수처럼 푸르다.
구름 한 점 없으면 어떠리 이리 누워 있다 보면 또 다른
구름들이 몰려오겠지.

-2023.05.29. 방안에 누워-

<창문 밖 하늘>

병원 외래 15 회차

오월의 마지막 날에 두 달에서 며칠 부족한 오늘.
병원 외래 15 회차 진료가 있어 집을 나선다.
옆지기랑 같이 가기에 여유있게 병원에 도착하여
순서에 맞게 수납하고 채혈하고 엑스레이 찍고 심전도까지
일사천리로 끝내고 담당 의사와의 예약된 진료시간이 많이
남아 한적한 곳을 찾아 의자에 몸을 맡긴다.
나름 혈액과 항암에 좋은 음식들로 더욱 관심을 두고 챙겨
먹고 꾸준한 산행을 하며 지냈는데 이번엔 어떠할까
궁금하기도 화살처럼 빠르게 지나간 두 달이라는 세월에
아쉬움이 묻어나기도 하다.
예약 시간이 되어 담당의 진료가 시작된다.
지난번에 검사한 유전자 결과가 좋다 하신다.
등급으로 친다면 아직 일등급엔 못 미치지만 이만하면
자유롭게 생활해도 되며 채혈, 심전도, 엑스레이 결과도
좋으며 혈소판, 빈혈, 백·적혈구 모두가 정상에 있어 관리가
잘 되고 있으니 두 달 후에 보자 하시며 진료가 끝났다.
그래 이만하길 다행이며 이대로 쭉 가보자.
병원을 나와 동네 마트에 들러 집으로 왔다.

-2023.05.31. 병원에 다녀온 날에-

<산수국 꽃차 만드는 중>

오월의 끝자락에서

푸르름이 가득한 산을 돌아치며 때죽나무, 아카시나무,
산딸나무 꽃들을 따고 덖고 말리면서 지난달에 넘겨받은
불치의 병에 걸렸다는 것을 잊을 만큼 꽃차에 빠져 마음껏
누렸던 행복했던 오월이 간다.
다시 또 새로이 다가올 찬란한 오월을 볼 수 있을까?
소리 없이 웃어도 본다.
오월이 있었기에 즐거웠고 감사한다.
아쉬움이 하나 있다면 오월은 가는데 불치의 병을 또다시
새로운 달로 넘겨주어야 하는 것이다.

-2023.05.31. 병원에 다녀와서-

<때죽나무 꽃>

여름이 시작되었다

신록이 아름다운 유월의 숲.
상수리나무 잎사귀들이 내 손바닥보다 훨씬 크고 억세지만
그래도 이쁘다.
비 오듯 땀을 쏟으며 산을 오를 때면 어디서 날아오는지
이름 모를 날벌레들이 순식간에 나타나 얼굴 주위를 귀찮게
따라붙어 땀 닦으랴 벌레들 쫓으랴 바쁜 유월의 초하루에서
나의 초여름은 시작이 된다.

오를수록 점점 후덥지고 땀은 뒤통수에서 등을 타고
허리춤에서 멈춰 흥건하고 이름 모를 날벌레들의 불편함에도
절대로 물러서지 않는 것은 산이 그들보다 훨씬 좋기
때문이다.

-2023.06.01. 산행하기 좋은 날에-

<동네산 여름 숲>

함박꽃에 홀리다

순백의 하얀 꽃이 순수함 그대로 보여지는 함박나무 꽃들을
따러 옆동네 산골짜기를 찾았다.
초여름이 사뿐히 넘어와 계곡도 덥다.
쉴 새 없이 물이 흘러가는 계곡엔 크고 작은 돌들은 이끼가
많아 안전하지 못하여 애써 꽃을 따지 않고 계곡 가장자리를
오르내리며 늘어진 함박나무를 찾아 손을 뻗어 닿는 만큼
꽃을 딴다.
한 송이 한 송이 코끝에 닿는 그윽한 꽃향기는 참으로 좋다.
꽃 따기를 끝내고 차곡히 담긴 꽃 망태기를 바라다보며
기품 있는 아름다움에 마음이 홀린다.

-2023.06.02. 함박나무 꽃 따던 날에-

<함박꽃>

일주일 동안

일주일 동안 쉬지 않고 동네산을 돌아쳤다.
지난해 같으면 연속된 동네산을 뒤로하고 중간에 주변 산이
나 멀리 약초 산행을 한두 번 돌아쳤을 텐데 떨어진 체력은
아닌데 마음이 시시때때로 발목을 잡는다.
옆지기도 본인과 동행하지 않는다면 먼 산은 가지 말라
당부하며 새벽녘에 일터로 간다.
둘째 딸아이도 날마다 안부전화를 한다.
나름 괜찮은데 정신도 몸뚱이도 건강한데 언제부터인가
걱정시키는 마누라, 걱정시키는 엄마가 되었다.
나를 위함이니 더 이상 걱정시키는 일은 자제하기로 한다.
동네산을 날마다 오르는 것도 고마운 일인데 지난 좌절했던
날들은 까맣게 잊고 약초산행, 버섯 산행을 탐하며 배부른
소리를 하는 건 아닌지 내게 쓰디쓴 웃음을 보내며 동네산
중턱 바람골에 도착하여 의자에 앉아 땀을 훔쳐 내고 하산길
을 정해야겠다.

-2023.06.02. 동네산 산행길에-

백운계곡에 가다

싱그러운 유월 간밤에 세차게 내린 비가 아침이 되어도
그치지 않아 옆지기와 광덕고개 드라이브 가자 하고 집을
나서 달리다 보니 어느새 비는 그쳐 화창한 날씨로 바뀐다.
일동을 지나 백운계곡 길을 들어서는데 문득 함박나무에
핀 꽃들이 생각이 나 드라이브는 접고 백운산 주차장에 차를
세우고 계곡 방향으로 길을 잡았다.
초입부터 요란하게 쏟아내는 물소리가 백운산 계곡을 가득
채운다.
휴일이라 등산객들도 많아질 테고 서로가 신경 쓰이는 일도
없어야 하고 불어난 계곡물을 넘나들며 꽃을 딴다는 것도
쉽지가 않아 계곡을 따라 한 방향으로 이동하며 꽃은 따지
말고 손끝에 닿는 꽃봉오리만 정도껏 따기로 하고 옆지기와
함박꽃나무 찾기를 시작된다.
얼마 오르지 않은 계곡엔 함박나무가 어여쁜 꽃들을
만발하게 피어 정신 줄 놓고 들여다보고 있는데 옆지기가
내게 소리치다 계곡 물소리에 못 듣는 것 같아 옆으로
다가와 행동을 중지하란다.
아직 어떤 행동도 아무 짓도 한 것이 없는데 옆지기는 잠시
함박나무아래 나를 앉아 보라하고 물 한 모금 들이 키며
산행인들이 줄지어 온다며 꽃을 따지 말자고 한다.
휴일도 피하고 산행인들도 없는 계곡을 몇 차례 돌아쳐도
소득이 부진한데 여긴 함박꽃들의 잔치가 열린 것이 아닌가

그래 나도 반대로 산행하면서 누군가 꽃들을 딴다면 그리
보기가 좋지 않아서 다섯 손가락 안으로 꼽은 백운산 계곡을
제쳐 놓았는데 이리 많은 꽃들을 본 이상 망설여진다.
옆지기는 지난 일주일도 일을 했고 다가오는 일주일도 일을
한다.
오늘 아니면 나도 올 수도 없고 함박꽃들도 지고 없다며
줄지어 들어선 산행인들은 단체인 것 같으니 곧 지나가면
꽃은 따지 말고 꽃봉오리만 적당히 따자고 옆지기를
설득하는 중에 시끌벅적하던 산행인들은 우리가 앉은
자리에서 멀어지고 계곡은 다시 평온한 숲이 되었다.
조용해진 숲 함박나무 아래서 옆지기는 마음이 편하지 않은
짓은 하지 말자고 역으로 설득당하여 물 한병만 들고
백운산에 들어왔으니 정상까지 오르는 것은 어리석으니
꽃들만 보고 하산하기로 한다.
꽃을 딴다고 누군가는 무어라 할 수도 있고 누군가는 관심
밖 일 수도 있겠지만 업이 아닌 산을 좋아하는 이로써 그곳
그 자리에 꽃이 피고 지기를 바라는 마음에 함박나무 꽃차는
만들지 않기로 하고 함박나무에 매달린 꽃들만 실컷 보고
백운산 계곡을 빠져나왔다.

-2023.06.11. 백운계곡 다녀온 날에-

<백운계곡>

유월의 숲

하루가 다르게 녹음으로 우거져 가는 숲.
산엔 밤나무가 온통 미색의 은은한 꽃으로 덮고 특유의 진한
꽃향기를 품어 진동한다.
비릿한 꽃향기가 바람을 타고 콧속으로 들어오면 두통이
동반되어 나름 좋아하진 않지만 며칠이 지나면 진한
꽃향기도 한풀 꺾일 테니 기다리기로 하고 능선길을 오르다
붉은덕다리버섯을 만났다.
여름날 고사목에 화려한 적황색채를 넣은 부채모양을 하고서
무리 지어 이쁘게도 나왔다.
약초 도감엔 어린 버섯은 식용하고 목질화가 되면 먹지
않는다.
하지만 나는 대중적이지 않아 보는 것만으로도 족하다.
여름 숲 머잖아 꽃들이 진자리엔 열매들이 고사한 나무엔
버섯 녀석들이 진을 치겠구나.

-2023.06.14. 산행 중에-

<붉은덕다리버섯>

꽃송이 만나러 숲으로 간다

때 이른 역대급 폭염주의보라고 뉴스마다 떠들지만 괘념치
않는다.
이맘때 여름 숲엔 꽃송이버섯이 나오기에 집에서 조금 떨어
진 낙엽송 나무가 모여 있는 산으로 옆지기와 자동차를 타고
임도길 중턱까지 올라 도착했다.
자동차에서 내려 배낭에 생수와 간식을 담고 장화로 갈아
신고 모기가 싫어하는 계피향 스프레이를 전신에 뿌리며
만반의 준비를 하고 설렘을 안고 낙엽송 밭에 들어선다.
한참을 올라 지난해 꽃송이버섯이 나왔던 곳에 다다르니
아직이다 아니 앞으로 나오지 않을 수도 있다.
이 또한 자연이 하는 일이니 괘념치 않고 다른 장소로 이동
한다.
얼마 전에 큰 비가 두어 번 왔는데도 숲이 내딛는 장화에
바스락거림이 가물었다는 생각이 든다.
옆지기와 원을 그리며 도는데 멀찌감치 크나큰 낙엽송 나무
밑에 황금빛 꽃송이가 보인다.
서둘러 다가가니 어여쁜 꽃송이가 우릴 반긴다.
반가움에 손뼉 치며 웃다 두근대는 마음 진정시키며 사진
몇 장 찍고 채취하니 무게도 제법 나간다.
준비된 비닐봉지에 담아 배낭에 넣고 신이 나서 다시 낙엽송
밭을 돌아치며 간간이 작은 꽃송이 몇 녀석들을 만나 채취했
다.

시간은 빠르게 흘러 옆지기와 낙엽송 나무 끝자락에서
이쯤이면 다 돌아친 것 같고 꽃송이버섯도 이만하면 됐다
싶어 하산하기로 하고 내려오면서 생각지 않은 곳에서 크고
작은 두 녀석을 만났다.
반가움 두 배 즐거움 만 배 덩실덩실 춤이라도 추고 싶지만
몸치라서 꼬리 내리고 절차에 따라 비닐봉지 꺼내고 꽃송이
버섯을 따서 배낭 속에 밀어 넣고 자동차 있는 곳으로
발길을 옮기며 올 꽃송이버섯 산행은 오늘부터 시작된다.

-2023.06.18. 첫 꽃송이버섯 산행하던 날에-

<김순영과 꽃송이버섯>

왕보리수 열매

지인이 사는 집 뜰 안에 왕보리수 열매가 농익었다고
비 오기 전에 따다 먹어보라 하여 갔다.
붉게 익은 왕보리수 열매가 대롱대롱 탐스럽게 많이도
달렸다.
한 손 가득 따서 한입에 털어 넣으니 맛없는 과일보다 훨씬
달고 맛있다.
어릴 적 친정집 뒤 곁에 뜰보리수 한 그루가 있어 익어
갈 때면 하나둘 따서 입속에 밀어 넣으면 어찌나 시큼하고
떨떠름하던지 얼굴을 찌푸리면서도 귀해서 다음날에도
뒤 곁을 찾아 따 먹던 과일이자 간식거리였던 보리수 열매
그 추억 속에 있는 작고 떨떠름한 뜰보리수 아닌 달달한
왕보리수 열매를 김치 담는 통에 가득 따왔다.
지금부터 보리수 열매들을 설탕에 버무린 잼도 엑기스도
만들지 않고 냉장고에 넣어 놓고 떨어질 때까지 실컷 먹어
볼란다.

-2023.06.19. 왕보리수 따온 날에-

<왕보리수 열매>

빗소리

후덥지근한 여름날.
동네산 초입부터 얼굴엔 비 오듯 땀이 흐르고 날파리 떼가
집요하게 따라와 눈앞을 가리며 훼방을 놓는다.
그래 여름 산행은 이 맛이지 중얼거리며 내게 위로해 보지만
솔직히 버티며 걷기가 힘들다.
능선 하나 능선 둘 넘다 백기를 들고 양손에 쥔 등산 스틱을
접어 배낭 옆에 고정하고 한 손엔 부채를 꺼내 날파리 떼를
연방 쫓고 한 손엔 손수건 쥐고 땀을 훔치며 산행을
이어간다. 멀리 도망친 여름 바람에 등 떠밀려 나온 흐린
하늘은 금방이라도 울 기세에 눌린 것을 뒤로하고 후덥진
산행을 마치고 지친 몸뚱이로 집에 돌아와 선풍기를 발아래
틀어 놓고 잠시 쉰다는 것이 단잠에 빠진다.
열린 창문을 두드리는 요란한 소리에 벌떡 일어나 몸뚱이를
일으켜 세워 창밖을 보니 비가 내리고 있다.
그래 내려라. 많이 흠뻑 내려라.
이리 비가 오려고 모두가 몸살을 했나 보다.
밖에서 조경 일을 하는 옆지기는 비를 피했는지 비를 흠뻑
맞았는지 퍼붓는 비에 일이 지연되지는 않았는지 안중에도
없는 속없는 마누라는 시원하게 비를 퍼부으라 주문을
외워본다.

-2023.06.20. 낮잠에서 깨어-

<아침이슬>

비가 내리는 여름날 아침

지난밤부터 내린 비가 아침이 되어도 제법 내린다.
비가 내리는 아침이면 산행을 접고 쉼을 택한다.
지난 며칠간 폭염으로 지쳐 있었기에 비가 반갑다.
창문 밖 은행나무 잎들도 내리는 비에 빗방울들을 모으고
쏟아 내기를 반복하며 몸을 씻어낸다.
비가 내리는 여름날의 아침 폭염은 내리는 비에 말끔히
씻기어 가고 아무것도 하지 않아도 되는 나는 마음이
차분해진다.

-2023.06.21. 비 오는 날에-

병어 감자조림

내 고향 목포 어시장에 생물 병어(생선) 주문서를 넣었다.
유월이 되면 어릴 적 병어조림을 먹었던 기억들이 새록새록
생각이 나 냉동이 아닌 생물에 감자 넣고 지져 먹고
싶어서다.
전날에 주문한 병어 여덟 마리가 스티로폼 박스에 담겨 얼음
이불을 깔고 덮고 긴 시간 자동차에 실려 오느라 하얗게
질린 얼굴로 우리 집에 도착했다.
이 녀석들을 어찌할까... 반건조를 해볼까 고민하다
여름날엔 깨끗이 손질하여 냉동고에 보관하는 것이
안전하겠다 싶어 일곱 마리는 그리하고 한 마리는 저녁
밥반찬으로 냄비에 감자를 썰어 깔고 고추장 한 스푼에
홍고추, 청고추, 대파 송송 썰고 고춧가루 풀어 양념장
만들어 병어를 올려 끼얹어 재워 놓고 냄비 뚜껑을 덮으려니
왠지 병어들의 처참함에 서글픔이 밀려든다.
몇 시간이 지나 저녁 식탁에 조려낸 병어 감자조림을 올려
나와 옆지기는 너무 맛있어 정신없이 먹느라 병어들의
서글픔 따윈 까맣게 잊고 다음 차례로 고향 생선 먹갈치를
이야기했다.

-2023.06.22. 병어가 도착한 날-

새벽녘에

새벽녘에 일어나 저장해 둔 산나물을 해동하고 무쳐내어
김밥을 만들고 물과 과일을 준비하여 조경 일하는 옆지기를
도와주러 따라나섰다.
어느 전원주택에 아침 6시쯤 도착하여 일을 시작한다.
옆지기는 무성하게 자란 잔디를 깎고 나는 깎아 놓은 잔디를
모아 버리기를 반복한다.
작은 전원주택이라 같이 일할 인부 한 분을 모시고 가면
소득이 반토막이 나서 해마다 짧은 시간에 일을 끝낼 수
있어 둘이 간다.
옆지기 혼자라면 꼬박 하루 일인데 무더운 여름날
작은 힘이라도 보태자는 마음으로 따라나서 3시간 만에
일이 끝났다.
준비해 간 김밥, 과일 남김없이 먹고 집으로 돌아오는 길이
이르다 싶을 때 어느 해부터 꽃송들이 나오지 않아 제쳐
놓은 산을 지나가다 높이 올라가지 않아도 되고 낙엽송
나무도 얼마 되지 않으니 혹시나 하는 마음에 잠깐 들어가
보자 하고 산 아래 자동차를 세워 두고 10분쯤 올라가니
멀찌감치 꽃 한 송이가 자리하여 한달음에 가보니 엄청
크다. 대박이다. 내 머리통 두 개 합쳐 놓은 듯 크다.
큰 기대를 하지 않은 상태에서 뜻하지 않게 큼지막한 꽃
한 송이를 만나니 기쁨이 말로 표현할 수 없을 만큼 참
좋다.

옆지기와 한바탕 웃으며 나머지 낙엽송 밭을 뒤지다가
빠져나오며 꽃 한 송이라도 좋다.
이렇게 꽃송이버섯 산행이 두 번째가 된다.

-2023.06.23. 뜻하지 않게 대박-

\<김순영\>

장맛비는 소강상태

온 나라를 훑고 다니며 비를 뿌린 장마가 올여름도 어김없이
들어섰다.
새벽녘까지 부슬부슬 가랑비가 내리더니 아침이 되어
소강상태가 되고 하늘이 열려 서둘러 숲으로 들어선다.
장마철이라 후덥함도 초파리 떼도 찰싹 달라붙지만 견디는
수밖에 별도리가 없다.
산길에 키 작은 떡갈나무가 진초록 잎사귀들 위에 방울들을
또로롱 모아 놓아 장난기 발동하여 손을 뻗었다간 내게
몰아서 쏟아부을 기세다.
능선 위에 올라서니 시원스레 불어대는 바람에 후덥함도
초파리 떼도 한순간에 사라지고 그 자리를 매김한
홀딱벗고새의 외침이 숲을 차지한다.
이리 진초록 숲이 있다는 것이 얼마나 고맙고 감사한 일인가
어차피 들어선 장마 피해 없이 조용히 지나가기만 바란다.

-2023.06.27. 여름 숲에서-

유월의 마지막 날에

세월이 참 빠르다는 말 이리 하루가 한 달이 빠르게 지나
가버린 것을 두고 한 말인가 싶다.
젊은 시절엔 더디 가는 세월이 참으로 야속하더니만
육십을 넘어서고 보니 돌아서면 하루가 돌아서면 한 달이
얼마나 빠르게 지나가는지 세월의 흐름을 따라가기가 벅차
다.
유월에도 집 주변 산을 돌아치다 외부 용문산 한 자락 둘레
길을 돌고 왔다.
유월의 끝자락까지 별 탈 없이 지내 온 것도 감사한데
괜스레 마음이 바빠지는 건 왜일까.
오늘도 속절없이 지나가고 있는 유월의 마지막 날.
다가오는 칠월엔 가만히 앉아 흘러가는 세월을 구경만 해선
안 되겠다.
더는 미루지 않고 그곳 천상의 화원 인제 점봉산 곰배령
산행에 가려고 둘째 딸아이의 도움을 받아 인터넷 예약을
끝내고 한 달 동안 변함없이 이 산 저 산을 돌아치며 꽃송이
버섯 산행에 즐거움을 건넨 유월에 감사한다.

-2023.06.30. 유월의 마지막 날에-

<김순영>

칠월의 아침

칠월의 아침이 밝았다.
장맛비가 소강상태에 빠지니 칠월답게 폭염이 기승을
부린다.
전날에 동네산 몇몇 지인들께 노각(늙은 오이) 비빔국수를
준비해 갈 테니 캠프로 오시라 문자를 보낸 상태다.
아침을 먹기 전에 노각을 깎아 소금에 절여놓고 콩나물 데쳐
채반에 받치고 국수를 삶아 찬물에 헹구어 물기를 거두고
참기름과 검정깨 뿌려 휘리릭 비벼 준비된 비닐봉지에 담고
전날에 만들어 숙성시켜 놓은 양념장 꺼내 차례대로 배낭에
담아 산에 갈 준비 끝내고 아침밥을 먹고 항암제 한 알
삼키고 쉬었다가 동네산으로 들어섰다.
산 초입부터 습도가 높아 후덥지고 흐르는 땀을 훔치기도
바쁘다.
날파리 떼를 따돌리는 데는 바람이 제격인데 폭염이라고
불어 대지 않는 바람에 무어라 하겠는가.
묵묵히 오르고 또 오르다 보면 끝은 나오겠지.
배낭에 무게가 짓눌려 칠월의 숲에 새로이 나와 있는 버섯
녀석들을 간섭하기가 벅차 앞만 보고 걷다 세 번째 능선
의자에 도착하니 앞선 길동무 언니가 도착하여 있었다.
의자에 배낭을 내려놓고 땀을 식히고 둘이 되어 산행길을
걷다 다섯 번째 능선을 지나 옆동네 산을 통해 산에 오신
동네 오라버님 내외분을 만나 캠프로 향했다.

도착한 캠프에서 땀을 식히기 전에 숨겨두고 사용하는
양푼을 꺼내어 씻고 돗자리 깔고 앉아 준비해 간 노각
비빔국수를 절반을 비비고 동네 오라버님께서 준비해 온
막걸리 한 잔 들이 키고 동네 언니께서 준비해 온 산초
장아찌를 안주 삼아 입에 밀어 넣으니 등줄기에 송골송골
맺힌 땀들이 올 스톱 한다.
짓누르던 배낭의 무게 따원 안중에도 없이 즐거운 담소로
이어지는데 캠프에 차례대로 모여 합류한 동네 지인들과
준비해 온 음식들을 꺼내 놓으시고 남겨둔 비빔국수를 마저
비벼서 펼쳐 놓으니 다채로운 만찬이 된다.
무더운 여름날 노각 비빔국수를 먹는 이런 맛은 어디에도
없을 법한 칠월의 첫날은 산에서 지인들과 즐거운 한때를
보낸다.

-2023.07.01. 칠월의 첫날에-

초가집 두 채

이틀째 폭염주의보 문자가 연방 뜬다.
산은 집보다 더 시원하다고 주장하며 살아온 지론이기에
폭염을 뒤로하고 산으로 천천히 들어간다.
산길에 초가집 두 채를 만났다.
정명은 접시껄껄이그물버섯이다.
위 녀석을 나는 초가집 버섯이라 부른다.
남들은 이 녀석들을 보며 무어라 할지 모르지만,
나는 꽃들 못지않게 예쁘다.
대공만 식용한다는데 그다지 먹고 싶진 않다.
그냥 바라보고 있으면 어릴 적에 어렴풋이 살았던 초가집의
포근한 느낌이 좋아 핸드폰 꺼내 카메라에 담는다.
산길에 식용버섯이든 독이 든 버섯이든 돋아날 땐 이유가
있을진대 곁에 머물러 지킬 순 없지만 어느 산행인의 손과
발에 부서지는 일 없이 자연이 허락된 명대로 살아가기만을
바랄 뿐이다.

-2023.07.03. 버섯을 만나다-

<접시껄껄이그물버섯>

노랑망태버섯

며칠째 이어지는 폭염을 뒤로하고 집에서부터 얼굴에
비 오듯 흐르는 땀을 닦으며 숲으로 간다.
초입부터 날파리 떼가 기다리고 있어 나만의 무기 부채를
꺼내 들었다. 한 손엔 부채 한 손엔 손수건을 쥐고 번갈아
가며 부치고 닦기가 바쁘다.
장마가 머무는 칠월의 숲은 각종 버섯의 삶을 엿볼 수 있는
즐거움이 크다. 오늘은 숲의 버섯들 중 가장 화려한
노랑망태버섯 가족들이 나왔다.
이리 가족들이 나오면 반가움도 즐거움도 두 배다.
숲의 세상에선 노랑망태버섯들이 새벽녘부터 서서히
치맛자락을 펼치다 반나절만에 사그라지기를 반복하다
자연으로 돌아가기를 택한다.
예전에 찍새 활동할 적에 잠을 설치며 새벽녘이 되어
노랑망태 녀석들 군락지에 찾아가 카메라에 접사렌즈
장착하고 돗자리 깔고 엎드려 망태 버섯들의 상투에서
퀴퀴한 냄새 맡고 달려든 모기들에 엄청나게 뜯겨가며
망태들의 짧은 일생을 담아낸 기억 소환에 웃어본다.
독버섯은 아니고 그렇다고 상투에서 고약한 냄새가 나서
대중적이지 않아 식용하지도 않는다.
오늘 산행길엔 노란 레이스 곱게 펼치고 다소곳이 서 있는
모습들이 너무 이뻐서 핸드폰에 몇 장의 사진을 담아 가지만

일부 산행인들에 독버섯으로 오인받아 등산 스틱에 휘둘려
망토가 찢기고 스트레스 해소로 발에 차여 내동댕이쳐질까
염려하며 발걸음을 옮긴다.

-2023.07.03. 노랑망태버섯을 만나다-

<노랑망태버섯>

곰배령

곰배령 입산 예약한 날짜가 오늘이다.
옆지기와 새벽녘에 집을 나와 자동차로 2시간 30분 달려
점봉산 생태관 주차장에 도착했다.
장마철이라 후덥지근할 거란 생각은 빗나가고 태풍급 바람이
불어 바람막이를 꺼내 입으며 오늘 산행은 눈앞에
아른거리며 훼방을 놓은 날파리 떼를 흐르는 땀에 훔칠
염려하지 않아도 될 것 같다.
예약시간이 되어 등산로 입구에서 줄을 서다 차례가 되어
신분증을 꺼내어 보이니 직원분이 빨간 플라스틱으로 된
입산 출입증을 건넨다.
출입증 받고 산행하기는 처음이라서 자연에 들어와도 된다는
기분이 들어 참 좋다.
오늘은 동네산을 벗어나 곰배령 산행이 시작된다.
옆지기와 앞서거니 뒤서거니 하며 얼마 걷지 않았는데
깊은 계곡의 우렁찬 폭포소리가 반긴다.
가까이 다가가 보고 있노라니 마음 한 켠이 뻥 뚫리듯
시원하다.
다시 걷다 강선마을이라는 표지판 입구에선 음료를 내어놓은
무인점포에 까만 강아지 한 마리가 지키고 있어 우리를 웃게
한다.

쉼터를 지나 양치식물 고사리과(관중) 식물길에 들어선다.
모두가 간섭하지 않으니 원시림을 이루며 잘 보전되어
보기가 좋다.
산행길 흐드러지게 씨방을 달고 나온 박새(식물) 독초들이
한들거리며 춤춘다.
연분홍빛 노루오줌 풀꽃들도 덩달아 춤을 춘다.
길게 뻗은 계곡도 끝이 보인다.
폭포소리 물소리 실컷 듣다 곰배령 1 킬로 정도 남겨둔
능선 위로 하늘이 보인다.
나무계단을 오르고 돌들로 정겹게 놓인 하늘길을 오르니
곰배령 정상가는 길 데크가 나온다.
천상의 화원이라더니 하늘 바람이 어찌나 사납던지 키 작은
야생화들은 납작 엎드려 있고 키 큰 당귀 꽃들은 모진
바람에 휘청이며 몸서리를 치고 있다.
순식간에 몰려온 안갯속으로 곰배령이 숨었다 나오기를
반복되는 것이 몽환적이다.
긴 시간 천상의 화원에 머물러 있다 가는 세찬 바람이
우리의 몸뚱이를 날려 맞은편 산으로 보내버릴 태세라
재빠르게 번갈아가며 곰배령 표지석을 붙잡고 몇 컷의
흔적을 남기고 휴게소 가는 길 이정표 따라 찾아 들었다.
새벽녘부터 준비해 간 수박과 산나물 김밥을 펼쳐 놓기도
전에 숲에서 귀여운 다람쥐 한 녀석이 나타나 우리를
쳐다보며 주변을 빙빙 돈다.

이 녀석 김밥 하나면 배부를 텐데 수박 한쪽 건네면
오늘만큼은 곰배령 숲을 뒤지지 않아도 될 텐데...
야박하지만 다람쥐 녀석의 명을 재촉할 것 같아 줄 수가
없었다.
옆지기와 등에 지고 간 먹거리들을 배불리 먹고 하산길은
계곡 반대편으로 정했는데 딱히 볼거리는 없고 계속된
계단과 오르내리막이 많지만 녹음으로 덮여 나름 눈과
마음이 시원한 즐거운 곰배령 산행을 마치고 입산 출입증을
반납하고서야 곰배령 주차장을 빠져나왔다.

-2023.07.06. 곰배령 산행하던 날에-

<곰배령 정산>

달걀버섯

산행하다 일찍이도 나온 주황색 달걀버섯을 만났다.
이쁘고 반갑지만 이 녀석들을 숲에 두고 갈 수 없어 주변을
둘러보다 아홉 개를 채취했다.
달걀버섯처럼 생긴 개나리 광대버섯이 있는데 그 녀석은
전체를 노란 색상으로 치장한 독버섯이며 붉은색, 주황색
녀석들은 화려하여 우리나라에선 독버섯으로 오인하는데
식용버섯이다.
고대 로마시대 네로 황제에게 달걀버섯을 진상하면 무게를
달아 같은 양의 황금을 하사했다 한다.
네로 황제는 달걀버섯의 맛을 알았나 보다.
전체가 부드러워서 잘 부서지기에 조심스럽게 채취하여
집으로 돌아와 씻기 전에 달걀버섯을 데쳐 씻어놓고
양파, 애호박 간을 맞추어 볶다가 달걀버섯 넣고 마무리하면
식감도 맛도 참 좋다.
내일부터 달걀버섯들이 숲에서 사라질 때까지 배낭 속에
담아 올 빈 김치통 하나 추가해야겠다.

-2023.07.09. 달걀버섯 채취한 날에-

<달걀버섯>

꽃송이버섯 산행

초여름부터 비가 자주 내려 꽃송이버섯이 풍년일 거라
생각했는데 산행을 접을 만큼 흉년이라 만족도 생각도
느려지다 보니 꽃송이가 많이 나오는 산을 옆지기와
보름 만에 오른다.
자연이 하는 일이라서 어찌할 수는 없지만 험지라도 시기에
맞춰서 한 녀석이라도 만나 보려고 오늘도 열심히 발품을
판다.
장마철이 아니어도 습도가 높은 곳이라 날파리 떼와 전쟁도
치르지만 찾아 나서는 재미도 쏠쏠하다.
옆지기와 한참을 오르다 크고 작은 꽃송이 몇 녀석을
만났다. 짜식~ 우리가 오기 전에 훌쩍 좀 커졌으면 참
좋으련만 작지만 장마철엔 녹아내리는 경우가 많아 간섭하여
배낭 속에 담고 돌아선다.
다시 오르내리며 낙엽송 밭을 다 돌아칠 때까지 꽃 한 송이
녀석을 더 간섭하고 올여름도 즐거웠던 꽃송이버섯 산행을
여기서 마무리한다.

-2023.07.11. 꽃송이 산행-

<꽃송이버섯>

장맛비

장마철답게 며칠째 비가 내렸다 그치기를 반복한다.
장맛비에 갇혀 사흘째 산을 못 갔다.
딱히 할 일이 없어 누워있다 보니 등짝이 배겨 일어나
연신 창문만 열고 닫으며 애꿎은 창문은 내게 테러를 당하고
산림청에서 시청에서 행정안전부에서 큰비가 온다고 서로
안전하자고 시도 때도 없이 띠링띠링 연방 울리는 소리에
나는 문자폭탄을 맞고 있다.

-2023.07.13. 장맛비에 갇혔다-

칠월의 숲

며칠 동안 퍼부은 극단의 호우가 지난밤부터 소강상태가
되어 닷새 만에 동네산에 올랐다.
약수터로 가는 산길엔 불어난 물이 계곡을 만들어
쏟아내리며 색다른 풍경을 만들어낸다.
계속된 폭우로 굶주린 거미들이 허기진 배를 채우려고
나뭇가지에 꽃처럼 무수히 거미줄을 만들어 놓고 먹잇감이
걸려들기를 기다리고 있다.
어떤 거미 녀석이 정교하게 쳐 놓은 거미줄에 흰 나방이
걸려 바둥댄다.
생존을 위한 자연의 법칙에 내가 간섭할 일이 아니기에
씁쓸하지만 바람골을 향해 산행길을 재촉한다.
안개가 자욱한 칠월의 숲에선 흰 나방 녀석의 죽음에
거미 녀석은 배를 든든히 채우겠지.

-2023.07.16. 칠월의 숲에서-

＜골진 동네산＞

폭염경보

며칠째 내리던 장맛비가 소강상태에 들어가고 하늘이 열린
아침 창가에 비친 햇볕이 폭염으로 바뀌어간다.
몇 날 며칠을 퍼붓는 극한 호우를 겪고 보니 폭염이라 해도
볕이 좋다.
테러 수준급에 달한 극한 호우 문자가 폭염경보 문자로
바뀌어 날아오지만 그래도 볕이 좋다.
숨 고르기에 들어간 장마란 놈이 다가오는 주말에 우리
동네에 비를 왕창 뿌리러 온단다.
장마 놈과 폭염 놈이 한 편을 먹었네! 먹었어!
제주에 사는 손녀 딸내미 두 녀석이 온다기에 네비에
김포공항 주차장 입력해 주고 별내 민자도로를 지나가다
김포 땅 밟았다고 김포 행정기관에서 날아든 폭염경보
문자에 웃으며 그래도 햇볕이 좋다.

-2023.07.20. 폭염이 기승을 부리는 날에-

투병 생활 1 년이 되었다

오늘은 일 년이 지난 2022 년 7 월 21 일과 마주하는 날이다.
지난 여름 몇 날 며칠 오후가 되면 피곤하여 무더운
여름이라 대수롭지 않게 생각한 것이 새벽녘이 되어 참을 수
없을 만큼의 복통이 발병하여 동네병원 응급실로 달려가
아침까지 검사한 후 큰 병원으로 가라 하여 금방 집으로
돌아올 거라는 생각으로 집에서 가까운 대학병원을 택하여
동네 병원에서 가져간 검사 결과지를 내보이니 입원하여
재검사 들어가자 하여 일주일간 여러 검사에 들어가느라
금식을 반복하다 보니 몰골이 볼품없이 변해갈 때쯤
일주일이 지나 7 월 21 일에 만성골수성백혈병이라는 병명을
받은 날이라 잊을 수가 없다.
병명들이 나오기까지 수시로 검사를 하고 힘겨운 골수검사
하는 날엔 스치듯 큰 병이 들었구나 직감하며 내게 죽음을
이르게 한 병이 들이닥친다 해도 담대하자 마음을 굳히며
병실에 앉아 있는데 친절하신 혈액 담당 여의사님께서
병명들이 하나씩 나올 때마다 하루에 세 차례 병실로 오셔서
병명들을 나열하듯 꺼내 놓는 것도 신체의 장기들은 아주
건강하다는 말씀도 하루하루가 지나갈 때마다 말라가는
나에겐 친절함이 부담으로 다가왔다.
일 년이 지난 지금도 그 말들이 싫다.
가족관계를 묻고 골수를 이식할 형제를 찾아야 한단다.

지금 혈액 속에 암세포가 90 퍼센트 떠다녀서 당장 죽는다
해도 의심할 여지가 없다고도 한다.
확실한 병명이 나왔을 때 뒤통수를 후려쳐도 괜찮은데
굳이 하루에 몇 개의 병명들을 피할 수 없는 병실에 들고 와
무언의 고통 속으로 밀어 넣을 때 좋지 않은 마음에 밤을
꼬박 새우며 의사 말보다 나를 다잡는 것이 우선이다 싶어
당장 죽어도 서럽지 않으니 형제들의 골수를 받지 않을 것을
다짐했다.
나름 까다로운 식생활에 늘 산으로 돌아치며 20년 가까이
산나물로 식용버섯으로 적절하게 약초들도 캐내어 먹고
살아왔기에 건강함에 있어 자신했던 내게 너무 화가 치밀어
죽음을 불사할지라도 몸뚱이에 아무것도 해주고 싶지
않았다.

그때 여의사가 언제 어느 곳에서든 갑자기 죽을 수 있다는
말의 나약함에 빠지지 않고 죽어도 괜찮다는 강한 힘이
작용한 내게 지금도 감사한다.
그때도 그러했듯 지금도 변함은 없다.
내일이라도 이 세상을 떠나게 된다면 서럽다기보단
미련 없이 떠날 마음의 준비는 하고 있다.
가끔 우리 옆지기는 본인보다 먼저 가면 배신이다 하는데
아프든 아프지 않든 누가 먼저인지도 영원한 것도 없으니
죽음 앞에 두려워 떨고 싶진 않다.

그렇게 일주일이 지나 모든 검사 결과지가 나온 날에
여의사 선생님에서 남의사 선생님으로 바뀌었고
나의 진료를 맡은 새로운 담당 의사 방으로 내원하라는
간호사의 설명을 듣고 옆지기와 둘째 딸을 불러 의사
선생님과 면담을 하고 '만성골수성백혈병' 쉽게 말하자면
'혈액암'이라는 병명도 듣고 마음 단단히 추스르고
골수이식은 나중에 생각하고 항암제부터 복용하자는 말씀에
그리하겠다 하고 나는 병실로 돌아와 다행인지 더 살아야
하는 이유가 있는 건지 다른 신체 장기들은 지극히 건강하여
부작용 없이 항암제가 잘들어 다른 백혈병 환우들보다
항암제를 두 배로 삼키고 처음엔 암세포가 90 퍼센트에서
60 퍼센트로 내려오고 30 퍼센트로 내려와 담당의께서
퇴원해도 되겠다 하시며 회복이 빠름도 좋지만 혈액이다
보니 암세포가 0 퍼센트가 나온다 해도 완치라는 말보다
투병 중이라는 것을 잊지 말고 천천히 항암제로 지켜보자
하시며 퇴원을 하여 집으로 돌아가서도 열이 37.5 도 넘게
올라가면 입원 준비하여 병원으로 오라는 당부도 듣고
19 일간 병원 생활을 마치고 집으로 돌아왔다.

퇴원 후 일주일에 1 회 진료하며 아침저녁으로 항암제 3 알씩
삼키고 이주일에 1 회로 한 달 간격으로 1 회로 항암제도
바꾸어 아침저녁으로 1 알로 줄이기도 지금은 두 달에 1 회로
진료하고 항암제는 아침에 한 알만 삼키며 일 년을 보냈다.

일 년이 지난 지금도 변함없이 먹거리로 무리하지 않게 산을 돌아치며 건강에 힘쓰고 큰 변함없이 오늘이 마지막 날인 것처럼 투병 생활하며 잘 살아 내고 있다.

-2023.07.21. 혈액암 투병 1 년 되는 날에-

<곰배령 계곡>

병원 외래 16 회차

빠르게 흐르는 시간 따라 두 달 조금 안 되어 병원 외래
16 번째 진료가 있어 내원을 했다.
예약된 진료시간은 9 시 30 분이다.
2 시간 전에 병원에 도착하여 검사를 끝내야 하므로
장마철이라 시시때때로 퍼붓는 장맛비에 교통이 원활하지
못한 일들도 생각해야 하기에 옆지기랑 아침 6 시 일찍이
집을 나서 병원에 7 시도 안되어 도착하니 수납 시간도
채혈할 시간도 이르다 보니 기다리다 시간이 되어 수납,
채혈을 마치고 영상의학과 심전도 검사까지 끝냈다.
각종 검사 결과가 나온 후에 담당 의사와 진료가
이루어지기에 병원에 오면 기다림이 연속이지만 이쯤이야
대수로이 생각지 않으며 병원 안팎으로 서성이다
예약 시간이 가까워져 대기실로 들어섰다.
대기실 티브이에 집중할 즈음 간호사님의 부름에 다가가
열을 재고 몸무게를 재고서야 의사선생님 방을 노크하여
안부를 묻고 진료가 시작된다.

혈소판, 백혈구, 적혈구, 빈혈 정상이며 폐, 신장, 간 좋다
하시며 다음 진료는 두 달 후 9 월 27 일에 보자 하시며
진료를 마쳤다. 처음 백혈병이 발병한 일 년 전엔 나의
투병기를 살아있는 날까지 쓰려고 서투른 글로 두서없이
쓰고 저장해 두었는데 처음부터 중간 부분 일 년이 된

지금까지 별 탈 없이 아프기 전과 같이 건강한 일상생활을 하며 지내왔기에 오늘 진료를 끝으로 투병기는 마무리하려 한다.

-2023.07.26. 병원 대기실에서-